beck'sche reihe

DAS JAHRTAUSEND

bsr

Diese Chronik des 2. Jahrtausends n. Chr. bietet einen knappen Überblick über bedeutende Ereignisse der Geschichte. Von ihr wird niemand Vollständigkeit aller in diesem Zusammenhang denkbaren Daten und Fakten erwarten; sehr wohl aber dürfen Leserinnen und Leser mit einer verantwortungsvoll getroffenen Auswahl an Informationen rechnen, die es erlauben, das letzte Millennium in großen Zügen zu rekapitulieren.

Der Band ergänzt die Serie *Das Jahrtausend* der Frankfurter Allgemeinen Zeitung, die von Michael Jeismann herausgegeben wird. Michael Jeismann, geb. 1958, promovierte im Fach Geschichte an der Universität Bielefeld bei Reinhard Koselleck und ist seit 1993 Redakteur der Frankfurter Allgemeinen Zeitung.

Der Autor, *Klaus-Jürgen Matz*, geb. 1949 in Rendsburg (Holstein), ist Professor für Neuere Geschichte und lehrt an der Universität Mannheim. Seine Hauptarbeitsgebiete bilden die deutsche und britische Sozialgeschichte des Industriezeitalters, deutsche Zeitgeschichte und südwestdeutsche Landesgeschichte. Im Verlag C. H. Beck ist von ihm lieferbar: *Europa-Chronik. Daten europäischer Geschichte von der Antike bis zur Gegenwart*, 1999.

Klaus Jürgen Matz

Das Jahrtausend

Eine Chronik 1000–1999

Verlag C. H. Beck

Originalausgabe
ISBN 3 406 45610 3

Umschlagentwurf: +malsy, Bremen

Satz: Kösel, Kempten
Druck und Bindung: C.H. Beck'sche Buchdruckerei, Nördlingen
Gedruckt auf säurefreiem, alterungsbeständigem Papier
(hergestellt aus chlorfrei gebleichtem Zellstoff)
Printed in Germany

Vorwort

Als eine armselige Welt aus Wäldern und Lichtungen hat der französische Mediaevist Jacques Le Goff das (westliche) Europa der Zeit um das Jahr 1000 beschrieben. Nirgends wurde hier das Zivilisationsniveau des zeitgenössischen China unter der Song-Dynastie und der von ihm kulturell und geistig abhängigen Welt des Fernen Ostens in Korea, Japan und Vietnam erreicht, nirgends auch die kulturelle Höhe des großen indischen Kulturkreises, der vom Indus und Punjab bis nach Kambodscha und in die malaiische Inselwelt reichte, und schließlich war auch die von Spanien bis Zentralasien sich erstreckende arabisch-persisch geprägte islamische Zivilisation derjenigen Europas, das damals nicht nur im geographischen Sinne ein Anhängsel Asiens bildete, in allen Belangen turmhoch überlegen. Nur an seinem Rande, im Byzantinischen Reich mit seiner prächtigen Hauptstadt Konstantinopel, erreichte menschliches Leben in Europa ein Raffinement, das sich mit dem in den großen Reichen Asiens messen konnte.

Am Ende des zweiten Jahrtausends ist der gesamte Erdkreis demgegenüber von der europäischen Zivilisation durchdrungen. Zwar beherrschen die Europäer die Welt nicht mehr – wie noch vor einhundert Jahren – im strikt politischen Sinne als Kolonialherren, aber europäischer Geschmack, europäisches Denken, europäische Standards sind doch überall wenn nicht verbindlich, so doch mindestens leitend und maßgebend. Manche Kontinente wie Nordamerika und Australien sind, insofern dort die Nachkommen von Millionen europäischer Immigranten leben, heute überhaupt Ableger Europas, andere wie Asien in seinem Norden und Afrika wie Südamerika jeweils im äußersten Süden sind es mindestens zu Teilen. Zwar weisen jene fernen europäischen Siedlungskolonien oftmals eigene Prägungen und Konturen auf, doch sind diese fast immer nur Varianten der aus Europa mitgebrachten und ererbten Traditionen oder – im guten wie im schlechten Sinne – Steigerungen und Akzentuierungen derselben. In anderen Teilen der Welt sind die staatsbildenden indigenen Hochkulturen, die um das Jahr 1000 und auch lange danach noch existierten, durch europäischen Einfluß inzwischen völlig verschwunden oder doch wesentlich überformt – wie etwa in großen Teilen Iberoamerikas, in der Karibik und in Afrika. Nur der islamische, der indische und der ostasiatische Kulturkreis besaßen so viel Substanz und Resistenzpotential, um dem Ansturm der Europäer in den letzten 1000 Jahren zu widerstehen. Freilich ist es in ökonomischer Hinsicht nur in Ostasien, dem schon seit der Antike und noch in der frühen Neuzeit bewunderten Vorbild und Traumziel der Europäer, gelungen, europäisches Effizienzdenken zu adaptieren und die eigene Identität gleichwohl zu bewahren, während die Welten des Islam und der indischen Hochkulturen, die bis zur industriellen Revolution mindestens die Parität mit Europa zu behaupten gewußt hatten, inzwischen wirtschaftlich ins Hintertreffen geraten und fast vollständig abhängig geworden sind.

Wenn es *ein* Thema gibt, das vom Ersten Kreuzzug im späten 11. Jahrhundert bis zur Gegenwart einem ganzen Jahrtausend den Stempel aufgedrückt hat, dann ist dies die europäische Expansion, der Aufstieg Europas zur Weltherrschaft, die mit der Dekolonisation der letzten fünfzig Jahre nur in einem vordergründig politischen Sinne, aber weder kulturell noch sozioökonomisch an ihrem Ende angelangt ist. Und darum ist *dieses* Thema auch das leitende und strukturierende der vorliegenden kleinen Chronik. Wenn dabei politisches Geschehen, Entdeckungen und Eroberungen im Vordergrund stehen, hängt dies mit der Gattung zusammen: ökonomische und kulturelle Expansion und Penetration lassen sich in Jahreszahlen nur schwer fassen und würden eine andere Form der Darstellung verlangen. Was in einer Chronik gleichfalls nicht geleistet werden kann, ist, den Gründen für den Triumph Europas nachzuspüren. Ich habe darüber meine eigenen Vorstellungen, die in dem einen oder anderen Eintrag anklingen mögen, aber hier doch nicht wirklich ausgeführt werden konnten. Würde ein Leser und Benutzer des vorliegenden Bändchens darin nur eine in Daten gepresste Erfolgs- oder gar Heilsgeschichte sehen, läge darin jedenfalls ein gründliches Mißverständnis.

Namen und Bezeichnungen aus Sprachen mit nichtlateinischer Schrift erscheinen in einer der Aussprache oder dem allgemeinen deutschen Sprachgebrauch angepaßten Transkription. Für Wörter aus dem Arabischen, Japanischen und den indischen Sprachen wurde meist der englischen Schreibung der Vorzug gegeben. Chinesische Namen und Bezeichnungen sind in die amtliche chinesische Lateinschreibung (Pinyin) transkribiert. Werden bei chinesischen Kaisern zwei Namen angegeben, stellt der erste die zu Lebzeiten geltende Regierungsdevise dar, der zweite den Tempelnamen, der nach dem Tod des Herrschers galt. Die mongolischen Großkhane erscheinen demgegenüber mit ihrem Eigennamen. Bei den chinesischen, japanischen, koreanischen und vietnamesischen Namen insbesondere bleibt noch zu beachten, daß der Familienname stets voransteht. Alle Jahresangaben beziehen sich für die Zeit nach der päpstlichen Kalenderreform von 1582 auf das Gregorianische Jahr. Hier können sich deshalb gegenüber dem Julianischen Jahr in einzelnen Fällen Abweichungen ergeben. So fiel der Tod der Kaiserin Elisabeth von Rußland nach den dort geltenden julianischen Kalenderregeln noch in das Jahr 1761, nach gregorianischen jedoch bereits in das Jahr 1762. Jahresangaben in Klammern, die einen Zeitraum von – bis bezeichnen, sind stets Regierungsjahre.

Ein Wort, auf das ich als ein mit Problemen der Chronologie wiederholt beschäftigter Historiker nicht verzichten kann, am Schluß: Das zweite Jahrtausend begann, da bei der Einführung der christlichen Inkarnationsära im frühen 6. bzw. 8. Jahrhundert und gerade auch bei der Einführung der Zählung nach Jahren *vor* Christi Geburt im 17. Jahrhundert auf ein Jahr 0 verzichtet wurde, definitiv erst mit dem (in Europa damals unterschiedlich gehandhabten, aber doch zumeist auf Weihnachten, also den 25. Dezember des Jahres 1000 fallenden) Jahresanfang 1001, und es wird erst am 31. Dezember 2000 enden. Die Angaben für das Jahr 1000 in diesem Bändchen sind daher eigentlich fehl am Platze, und naturgemäß sind hier andererseits noch alle Ereignisse, die in die Zeit zwischen der Drucklegung und dem Jahresende 2000 fallen, nachzutragen. Daß dennoch heute schon Rückschau gehalten wird auf das *ganze* Jahrtausend und dieses im Titel mit den Jahren 1000–1999 abgegrenzt ist, hat mit der Magie der Zahlen zu tun.

Als Verfasser trage ich eine Verantwortung *hierfür* nicht. Wenigstens konnte bei der Binnengliederung nach Jahrhunderten korrekt verfahren werden. Das elfte Jahrhundert endet also 1100, das zwölfte beginnt 1101 usw.

Dank schulde ich wiederum dem Lektorat des Verlages C. H. Beck und namentlich Herrn Dr. Stefan von der Lahr für die Anregung zu diesem Band, die reibungslose Zusammenarbeit und die ebenso engagierte wie kompetente Betreuung der Drucklegung.

Im Spätsommer 1999 *K.-J. M.*

Das elfte Jahrhundert

1000 Für Polen wird in Gnesen (Gniezno), für Ungarn in Gran (Esztergom) jeweils ein eigenes Erzbistum eingerichtet. Fürst Stephan I. (der Heilige) von Ungarn erhält vom Papst 1001 die Königskrone. Herzog Boleslav I. Chrobry von Polen nimmt diesen Titel erst 1025 an. Beide Länder treten damit in den Kreis der europäischen Monarchien ein.
Der Wikinger Leif Eriksson entdeckt Amerika von Grönland aus. Durch archäologischen Befund gesichert ist mindestens eine Siedlung auf Neufundland.

1002 Otto III., deutscher König und römischer Kaiser (seit 983 bzw. 996), der mit Papst Silvester II. (999–1003) das Römische Reich hatte erneuern wollen, stirbt in noch jungen Jahren.

1009 In Annam bildet die *Li-Dynastie* (bis 1225) unter Annahme des Kaisertitels das erste vietnamesische Reich *Dai Viet* (seit 1804 Viet Nam genannt). Es ist das einzige in Südostasien, das – obwohl auch hier der Buddhismus Fuß faßt – niemals indischem Kultureinfluß unterliegt, sondern kulturell immer auf China ausgerichtet bleibt.

1014 Kaiser Basileios II. (976–1025), unter dem das mittelalterliche Byzantinische Reich den Höhepunkt seiner Machtentfaltung erlebt, vernichtet das (zweite) Reich der Bulgaren in Makedonien.

1016 Der dänische Prinz Knut (der Große; † 1035) wird König von England; mit seiner Thronbesteigung auch in Dänemark (1018) und Norwegen (1028) entsteht vorübergehend ein nordisches Großreich. Etwa zur selben Zeit beginnt die Christianisierung Norwegens und Schwedens.

1017 Die Cholas aus Südindien erobern das von Singhalesen nordindischer Herkunft besiedelte Ceylon, das bis heute Heimstatt des *Hinayana-Buddhismus* ist. Die alte Hauptstadt Anuradhapura muß aufgegeben werden. In den Norden der Insel dringen tamilische Einwanderer vor.

1024 Heinrich II., deutscher König und römischer Kaiser (seit 1002 bzw. 1014), stirbt in seiner Gründung Bamberg. Mit ihm erlischt das in Deutschland seit 919 regierende *ottonische Haus* im Mannesstamm. Von den Großen des Reiches wird der *Salier* Konrad II. († 1039) zum Nachfolger gewählt.

1025 Mahmud von Ghazni (998–1030), turkstämmiger Beherrscher des Iran, zerstört bei einem seiner zahlreichen Plünderungszüge in Indien den Hindu-Tempel von Somnath (Gujarat), der zu den heiligsten im Land gehört. Mit Mahmud bricht der Islam erstmals erfolgreich auf den bis dahin rein hinduistisch (und zeitweise auch buddhistisch) geprägten Subkontinent vor.

1028 Fujiwara no Michinaga, der bedeutendste Regent (seit 995) der *Fujiwara-Familie,* die Japan anstelle der Kaiser vom 9. bis zum 12. Jahrhundert de facto regiert, stirbt in der Hauptstadt Kyoto.

1031 Der letzte Kalif aus dem Haus der *Omayyaden* wird aus Córdoba vertrieben. Das muslimische Spanien zerfällt in viele Kleinstaaten.

1033 Nach dem Aussterben der einheimischen Königsdynastie wird Burgund (das *Arelat*) mit dem Reich vereinigt. Dieses besteht fortan aus der Ländertrias Deutschland, (Nord-)Italien, Burgund.

1035 Im Norden Spaniens werden die drei christlichen Königreiche Navarra, Aragón und Kastilien gebildet.

1040 Die turkstämmigen *Seldschuken* erobern den Iran und errichten dort ein Reich, das aber schon nach wenig mehr als hundert Jahren zerfällt.

1042 In England endet die Herrschaft der Dänen. Neuer König wird der Angelsachse Eduard der Bekenner († 1066).

1044 König Anoratha begründet das erste Birmanische Reich mit der Hauptstadt Pagan.

1054 Mit dem Tod von Großfürst (seit 1016) Jaroslaw dem Weisen beginnt der Zerfall des *Kiewer Reichs* – des ersten in Rußland.
Papst und Patriarch von Konstantinopel bannen sich gegenseitig. Damit wird die seit langem präformierte Trennung der christlichen Kirchen des (*lateinischen*) Westens und des (*griechisch-orthodoxen*) Ostens endgültig.

1059 In Süditalien entstehen Staaten unter normannischer Herrschaft als Lehen der Päpste. 1072–1090 wird auch Sizilien, das seit 902 vollständig arabischer Herrschaft unterstanden hatte, von den Normannen erobert.

1062 Yusuf, erster Herrscher der Marokko bis 1147 regierenden mächtigen Dynastie der *Almoraviden*, gründet Marrakesch als neue Hauptstadt.

1066 Wilhelm I. der Eroberer, Herzog der Normandie, siegt in der Schlacht von Hastings und gewinnt damit England; dessen Schicksal bleibt fortan für fast 500 Jahre mit den Interessen seiner Könige auf dem Kontinent unauflöslich verknüpft. Die neue Elite des frankophonen normannischen Adels setzt sich gegen die bisherige angelsächsische Oberschicht hart durch.

1071 In der Schlacht bei Mantzikert unterliegt das byzantinische Reichsheer den von Osten einfallenden türkischen Seldschuken.
Kleinasien, wo die Türken bald einen eigenen Staat gründen (Reich der *Rum-Seldschuken*), geht der europäischen (griechischen) Zivilisation in der Folge für immer verloren.

1076 Die *Almoraviden* erobern Kumbi Saleh (Mauretanien), Hauptstadt von Gana, des ersten bekannten schwarzafrikanischen Großreichs, das danach in Bedeutungslosigkeit versinkt.

1077 Der gebannte deutsche König Heinrich IV. (1056–1106, seit 1084 römischer Kaiser) unterwirft sich auf der Burg von Canossa Papst Gregor VII. (1073–1085). Doch wird der Streit zwischen Kaiser und Papst um die Investitur der Bischöfe im Reich damit noch nicht entschieden.

1081 Mit Alexios I. wird der erste Herrscher aus dem Geschlecht der *Komnenen*, unter denen Byzanz letztmals zur Großmacht aufsteigt, Kaiser in Konstantinopel.

1082 Die *Leran*-Inschrift bildet den frühesten Hinweis auf die Anwesenheit des Islam auf Java; die neue Religion setzt sich in der malaiischen Inselwelt jedoch erst im 15. und 16. Jahrhundert endgültig durch.

1085 Im Zuge der *Reconquista* (der Rückeroberung des muslimischen Spanien) erobern die christlichen Heere Toledo, die alte Hauptstadt des Landes in westgotischer Zeit.

1091 Die Normannen erobern Malta, den „Nabel des Mittelmeers“, von den Muslimen zurück.

1096 Nach einem Aufruf des Papstes, die heiligen Stätten von muslimischer Herrschaft zu befreien, setzt als Auftakt zur eigentlichen europäischen Expansion die Kreuzzugsbewegung ein.
Der *erste Kreuzzug* endet 1099 mit der Eroberung von Jerusalem unter Anwendung exzessiver Gewalt.

Das zwölfte Jahrhundert

1102/06 Nach dem Aussterben der einheimischen Königsdynastie wird Kroatien als ein *Land der Stephanskrone* für mehr als 800 Jahre mit Ungarn in Personalunion verbunden.

1104 Mit der Gründung des Erzbistums Lund (heute Südschweden) wird eine Kirchenprovinz für Dänemark und den ganzen Norden Europas außerhalb des Bremer Metropolitansprengels eingerichtet.

1119 In Jerusalem wird der *Templerorden* als erster der drei christlichen Ritterorden zum Schutz der Jerusalempilger gegründet.

1122 Mit dem *Wormser Konkordat* gelingt ein Kompromiß im *Investiturstreit* zwischen Papst und Kaiser: Letzterer verzichtet auf die Investitur mit Ring und Stab, er darf aber die Wahl von Bischöfen und Reichsäbten im Deutschen Reich in Zweifelsfällen entscheiden. Die Vergabe der weltlichen Lehen erfolgt in Deutschland vor, in Burgund und Reichsitalien nach der Weihe.

1125 Heinrich V., deutscher König seit 1105/06, römischer Kaiser seit 1111, stirbt; mit ihm endet das Geschlecht der *Salier*.

1126 Die Dschurdschen erobern die chinesische Hauptstadt Kaifeng und bilden im Norden Chinas eine neue Dynastie unter dem Namen Qing (Hauptstadt erstmals Beijing = Peking). Die seit 960 bis dahin ganz China höchst erfolgreich regierende (straffe Verwaltung mit regelmäßigen Beamtenprüfungen; starkes Wirtschafts- und Bevölkerungswachstum) *Song-Dynastie* wird nach Süden abgedrängt (Hauptstadt seit 1138 Hangzhou). Dorthin hatte sich freilich schon zuvor auch der wirtschaftliche und fiskalische Schwerpunkt des Reiches verlagert.

1130 Der Normanne Roger II. wird mit Zustimmung des Papstes zum König von Sizilien gekrönt; er kann seinem Reich bis 1139 auch ganz Unteritalien einverleiben.

1137 In Jerusalem wird der *Johanniterorden* als zweiter der christlichen Ritterorden gegründet.

1138 Mit Konrad III. († 1152) wird der erste *Staufer* zum (römisch-) deutschen König gekrönt.

1139 Alfons Heinrich, seit 1112/28 Herrscher in der 1095/96 von Kastilien-León abgetrennten Grafschaft Portugal, nimmt den Königstitel an.

1147 erobert er mit Lissabon die künftige neue Hauptstadt des Landes von den Mauren.

1147–1149 Der *zweite Kreuzzug* unter dem deutschen König Konrad III. und König Ludwig VII. von Frankreich (1137–1180) endet in einem Desaster. Keines der gesteckten Ziele kann erreicht werden.

1150 In Angkor, der Hauptstadt des Khmerreichs, das seit dem 9. Jahrhundert besteht und im 12./13. Jahrhundert seine höchste Blüte erlebt, wird der hinduistische Tempel *Angkor Vat* als größter jemals errichteter Sakralbau der Erde vollendet.

1152 Friedrich I. *„Barbarossa"*, Neffe Konrads III., wird in Aachen als zweiter *Staufer* im Reich zum König gekrönt. Schon 1155 empfängt er in Rom auch die Kaiserkrone.
Mit der Gründung des Erzbistums Trondheim wird eine eigene Kirchenprovinz für Norwegen, Island, Grönland und die anderen nordatlantischen Inseln einschließlich der Insel Man eingerichtet.

1153 Im Kampf gegen die Tamilen aus Südindien einigt der singhalesische König (bis 1186) Parakramabahu I. ganz Ceylon unter seiner Herrschaft. Hauptstadt ist bis 1235 Polonnaruwa.

1154 In England besteigt Heinrich II. († 1189) aus dem Hause *Anjou-Plantagenet,* Herr über riesige Territorien in Frankreich, den Thron. Unter ihm gewinnt das englische Königtum größte Autorität.

1156 Mit dem *Privilegium minus* trennt Kaiser Friedrich Barbarossa Österreich endgültig von Bayern und erhebt es zum selbständigen Herzogtum.

1164 Mit der Gründung des Erzbistums Uppsala wird für Schweden eine eigene Kirchenprovinz eingerichtet.

1169 Andrej Bogoljubskij, Fürst von Wladimir (1155–1174), erobert Kiew und versetzt dem dortigen Großfürstentum einen Schlag, von dem es sich nicht mehr erholt. Die Vorherrschaft in Rußland geht auf das (Groß-) Fürstentum Wladimir über.

1171 In Ägypten wird die schiitische Kalifendynastie der *Fatimiden* gestürzt. Saladin, der erste Herrscher der kurdischen *Ayyubiden,* übernimmt die Macht (bis 1193). Ägypten wird wieder sunnitisch.

1176 Der byzantinische Kaiser Manuel I. (1143–1180) erleidet bei Myriokephalon im westlichen Kleinasien eine vernichtende Niederlage im

Kampf gegen die türkischen Rum-Seldschuken. Sein Reich wird dadurch in den Grundfesten erschüttert.

1180 Kaiser Friedrich Barbarossa setzt Heinrich den Löwen, Herzog von Bayern und Sachsen aus dem Hause der *Welfen*, nach einem land- und lehnrechtlichen Verfahren ab und teilt das Herzogtum Sachsen auf.

1184 Mit der Exkommunikation des Gründers der als Häretiker betrachteten *Waldenser* nimmt die beispiellos gewalttätige Ketzer- (und sehr viel später: Hexen-)Verfolgung in Europa ihren Anfang.

1185 Der seit 1180 tobende *Gempei-Krieg* zwischen den Familien *Taira* und *Minamoto* in Japan endet mit dem Sieg der letzteren. Minamoto no Yoritomo († 1198) nimmt 1192 den Titel eines *Shoguns* (= Militäradministrators) an. Mit ihm beginnt in Japan die nach seiner Hauptstadt (der Kaiserhof selbst verbleibt in Kyoto) benannte *Kamakura-Periode* (bis 1333).

1187 Sultan Saladin schlägt das Aufgebot der christlichen Kreuzfahrerstaaten westlich des Sees Genezareth an den Hörnern von Hattin und erobert in der Folge Jerusalem. Damit löst er den *dritten Kreuzzug* aus.

1190 Kaiser Friedrich Barbarossa ertrinkt während des dritten Kreuzzugs in einem Fluß im südlichen Kleinasien. Im Reich folgt ihm unangefochten Heinrich VI. (Kaiser seit 1191) – mächtigster aller *Staufer*.

1191 Die Kreuzfahrer unter dem englischen König Richard *Löwenherz* (1189–1199) erobern Akkon von den Muslimen zurück; dies bleibt freilich ihr einziger größerer Erfolg.

1192 Mohammed von Ghuri († 1206) schlägt das Rajputenheer bei Tairan nordwestlich von Delhi und schafft damit die Voraussetzung für die jahrhundertelange Vorherrschaft turkstämmiger islamischer Eroberer im nördlichen Indien. Sein Statthalter Aibak († 1210) gründet 1206 das Sultanat von Delhi, das bis 1858 bestehen wird.

1194 Kaiser Heinrich VI. wird als Gemahl der Thronerbin in Palermo zum König von Sizilien gekrönt. Damit vereinigt er ganz Italien unter seiner Herrschaft.

1197 Zypern, das die Kreuzfahrer 1191 erobert hatten, wird als ein weiterer Kreuzfahrerstaat Königreich – erblich im Hause *Lusignan*.

1198 Nach dem vorzeitigen Tod Kaiser Heinrichs VI. (1197) kommt es im Reich zu einer verhängnisvollen Doppelwahl: Der *Staufer* Philipp von

Schwaben, ein Bruder des Kaisers, und der *Welfe* Otto IV., Sohn Heinrichs des Löwen, bekämpfen sich nachfolgend erbittert.
In Jerusalem wird der *Deutsche Orden* als letzter der drei christlichen Ritterorden gegründet.

Das dreizehnte Jahrhundert

um 1200 Das „*Neue Reich*" der (indianischen) Maya (seit etwa 950) auf der Halbinsel Yucatán mit dem Zentrum Chichén Itzá erreicht seine höchste Blüte.

1204 Die Teilnehmer des 1203 nach Konstantinopel umgeleiteten *vierten Kreuzzugs* erobern unter Leitung von Enrico Dandalo, des greisen Dogen von Venedig, die Hauptstadt des Byzantinischen Reiches und errichten dort ein *Lateinisches Kaiserreich*. Nur am Rande des alten Reichsgebiets bestehen griechische Reststaaten fort – als deren wichtigster das *Kaiserreich Nikaia*.

1206 Dschingis Khan (eigentlich: Temüdschin; * 1155/56) einigt unter seiner Führung die Mongolen und beginnt mit der Eroberung eines Weltreichs.

1208 Der deutsche König Philipp von Schwaben wird ermordet. Otto IV., sein bisheriger Konkurrent auf dem Thron, wird danach im Reich allgemein anerkannt und 1209 auch zum Kaiser gekrönt.

1208–1211/14 Auf Geheiß von Innozenz III. (1198–1216), dem bedeutendsten Papst des hohen Mittelalters, wird im Süden Frankreichs ein „Kreuzzug" gegen vorgebliche Häretiker (*Albigenser, Katharer*) durchgeführt.

1212 König Alfons VIII. von Kastilien (1158–1214) schlägt die *Almohaden*, die in Marokko seit 1130/47 regieren und seither wiederholt auf die Iberische Halbinsel vorgedrungen sind, entscheidend bei Las Navas de Tolosa in Andalusien.
König Friedrich von Sizilien, Sohn Kaiser Heinrichs VI., zieht nach Deutschland und wird dort von der staufischen Partei zum König gegen Otto IV. gewählt.

1214 In der Schlacht bei Bouvines unterliegen Kaiser Otto IV. und seine englischen Verbündeten dem bedeutendsten französischen König im Mittelalter, Philipp II. *Augustus* (1180–1223). Damit bricht nicht nur die Herrschaft des englischen Königs auf dem französischen Festland zusammen, auch der deutsche Thronstreit wird zugunsten des *Staufers* Friedrich II. entschieden.

1215 Dschingis Khan erobert Beijing (Peking), die Hauptstadt des *Qing-Reiches*.
Der englische König Johann Ohneland (1199–1216) erläßt die *Magna Carta libertatum*, ein Gesetz zum Rechtsschutz aller Freien, das später zum ersten Grundgesetz der freiheitlichen englischen Verfassung umgedeutet und idealisiert wird.

1216 Mit der Gründung des *Dominikaner-Ordens* (er ist mit der Ketzerverfolgung betraut) entsteht der neue Typ des Bettelordens. Als zweiter derartiger Orden wird 1223 der der *Franziskaner* begründet.

1217 Stephan der Erstgekrönte (1196–1228) läßt sich zum ersten König der Serben krönen.

1217–1219 Der *fünfte Kreuzzug* – er richtet sich gegen Ägypten – bleibt ohne Ergebnis.

1220 Der römisch-deutsche König Friedrich II. wird in Rom zum Kaiser gekrönt; danach hält er sich fast nur in seinem Königreich Sizilien auf, das er zum Musterstaat entwickelt.
Die Mongolen erobern Buchara und Samarkand in Zentralasien.

1225 In Vietnam wird die regierende *Li-Dynastie* ausgelöscht und von der *Tran-Dynastie* (bis 1413) beerbt.

1227 Vor Yinchuan in China stirbt Dschingis Khan. Nachfolger wird 1229 sein Sohn Ögödei.

1229 Kaiser Friedrich II. besetzt Jerusalem nach Verhandlungen mit den Muslimen kampflos und läßt sich auch dort zum König krönen. Die *Heilige Stadt* fällt aber schon 1244 an die Muslime zurück.
Mit der Eroberung Mallorcas durch König Jakob I. von Aragón (1213–1276) beginnt die 1287 auf Menorca abgeschlossene Vertreibung der Muslime von den Balearen.

1230 Die Mongolen beginnen mit der Eroberung des Iran.
Das Königreich León wird dauerhaft mit Kastilien vereinigt, das damit eine Hegemonie auf der Iberischen Halbinsel erlangt.

1231 Korea – das *Koryo-Reich* (seit 918/36) – ein Zentrum des Buddhismus in Ostasien, wird Vasallenstaat der Mongolen.
Der *Deutsche Orden* beginnt – von einem polnischen Fürsten damit beauf-

tragt – sein Eroberungswerk im Kampf gegen die noch nicht christlich getauften *Prußen.*

1232 Nach dem Gesetz zugunsten der geistlichen Fürsten im Reich von 1220 erläßt Kaiser Friedrich II. mit dem *Statutum in favorem principum* ein solches Gesetz auch zugunsten der weltlichen Fürsten. Damit wird die Entwicklung zur Landesherrschaft der deutschen Fürsten reichsrechtlich bestätigt.

1234 Die Mongolen vernichten das *Qing-Reich* in Nordchina.

1237–1240 Die Mongolen unter *Khan* Batu († 1256) erobern große Teile Rußlands (u. a. Kiew 1240). Sie begründen dort das *Reich der Goldenen Horde,* dem fortan alle russischen Fürstentümer in Tributherrschaft unterstehen.

1238 Die Thai bilden ein erstes Reich mit dem Zentrum Sukothai in Gebieten, die bis dahin zum Khmerreich gehört hatten.

1241 Die Mongolen vernichten ein polnisch-deutsches Ritterheer in Schlesien, ziehen aber auf die Nachricht vom Tode des *Großkhans* Ögödei hin ab.

1248/49 Mit der Eroberung Andalusiens durch Kastilien und der Algarve durch Portugal kommt die *Reconquista* auf der Iberischen Halbinsel zu einem vorläufigen Abschluß. Portugals Grenzen liegen damit als die ältesten in Europa dauerhaft fest.

1250 In Ägypten wird die *Ayyubidendynastie* gestürzt. Die *Mameluken* (Militärsklaven meist türkischer Herkunft) übernehmen die Macht.
Der *sechste Kreuzzug* unter der Führung des französischen Königs Ludwigs IX. des Heiligen (1226–1270), der sich wieder gegen Ägypten richtet, scheitert.
Kaiser Friedrich II. stirbt in Apulien; sein Sohn Konrad IV. († 1254) folgt ihm als letzter *Staufer* im Reich.

1253 Der Papst entsendet den Bettelmönch Wilhelm von Rubruk an den Hof des Großkhans der Mongolen, um ihn für ein Bündnis gegen die Muslime zu gewinnen. Wilhelm kehrt 1255 ohne Ergebnisse zurück.

1258 Die Mongolen unter Hülagu, Begründer der Herrschaft der *Ilchane* im Iran (bis 1335), erobern Bagdad, die Hauptstadt des Reichs der *abbasidischen* Kalifen; deren schon seit 750 währende Herrschaft erlischt damit nach langer Agonie.

1259 *Im Frieden von Paris* verzichtet der englische König auf seinen gesamten Festlandbesitz in Frankreich mit Ausnahme der Gascogne.

1261 Truppen des griechischen Kaiserreichs Nikaia erobern Konstantinopel und bereiten dem *Lateinischen Kaiserreich* damit ein Ende. Michael VIII., Begründer der letzten byzantinischen Dynastie der *Palaiologen,* seit 1258 Kaiser in Nikaia, läßt sich in der Hagia Sophia ein zweites Mal feierlich krönen.

1268 Karl von Anjou († 1285) wird durch seinen Sieg über den jungen staufischen Prätendenten Konradin (hingerichtet 1268) endgültig König von Sizilien.

1269 In Marokko endet die Herrschaft der berberischen *Almohaden,* denen die *Meriniden* von Fes folgen (bis 1465).

1270 In Äthiopien, dem isolierten einzigen christlichen Reich Afrikas, gelangt mit Jekuno Amlak erneut die *salomonische Dynastie* auf den Kaiserthron (bis 1974).

1273 Mit der Wahl Rudolfs, des Grafen von *Habsburg,* zum römisch-deutschen König endet das *Interregnum* (seit 1254/56) im Reich.

1279 Die Mongolen, die schon den Norden Chinas beherrschen, erobern auch den reichen Süden des Landes und vertreiben die dort noch regierende *Song-Dynastie.* Khublai Khan († 1294), Großkhan der Mongolen seit 1260, wird als Shizu auch Kaiser von China und begründet hier unter dem Namen *Yuan* eine neue Dynastie. Die letzten Song-Prinzen ertrinken auf der Flucht zu Schiff im Meer.

1281 Die Japaner wehren ein zweites Mal nach 1274 den Angriff einer gewaltigen Streitmacht der Mongolen (und der mit ihnen zwangsverbündeten Koreaner) ab. Khublai Khan, der dieses größte maritime Unternehmen der Geschichte vor dem 20. Jahrhundert befohlen hatte, scheitert damit erstmals mit seinen expansionistischen Zielen.

1282 Ein von Aragón und Byzanz unterstützter Aufstand (*Sizilianische Vesper*) fegt die Herrschaft Karls von Anjou, der fortan auf Unteritalien beschränkt bleibt, auf der Insel Sizilien hinweg. Sizilien selbst wird fortan bis 1713 von Zweigen des Hauses Aragón beherrscht.
Der römisch-deutsche König Rudolf I. († 1291) belehnt nach seinem großen Sieg über König Ottokar II. von Böhmen (1253–1278) auf dem Marchfeld (1278) seine Söhne mit Österreich, der Steiermark und Krain und legt damit den Grundstein für die später weiter gewaltig anwachsende territoriale Hausmacht der *Habsburger.*
König Eduard I. von England (1272–1307) unterwirft Wales.

1287 Das Mongolenheer Khublai Khans erobert Pagan und zerstört das erste Birmanische Reich.

1291 Mit der Eroberung Akkons durch die *Mameluken* fällt der letzte Stützpunkt der Kreuzfahrer im Heiligen Land. Der *Johanniterorden* verlegt seinen Sitz zunächst nach Zypern, 1309 weiter auf die Insel Rhodos, der *Deutsche Orden* den seinen nach Venedig und von dort – ebenfalls 1309 – auf die Marienburg in Preußen.
Die Talgemeinden von Uri, Schwyz und Unterwalden bilden einen Bund zur Friedenswahrung, was später als Gründungsakt der Schweizerischen *Eidgenossenschaft* gilt.

1292/93 Nach dem untergegangenen buddhistischen Reich *Mataram* wird auf der dichtbevölkerten Insel Java ein neues Reich – das hinduistische Königreich *Majapahit* begründet, das bis ins 16. Jahrhundert blüht.

1293 In Peking wird mit Duldung des Großkhans und Kaisers ein lateinisches Erzbistum für China begründet.

1295 Dem *Model Parliament* gehören in England neben Prälaten und Baronen auch Vertreter der Ritter, Städte und des einfachen Klerus an.

1298 Der römisch-deutsche König (seit 1292) Adolf fällt in der Schlacht bei Göllheim im Kampf gegen den *Habsburger* Albrecht I., der seine Nachfolge antritt.

1298/99 Der Venezianer Marco Polo diktiert in Gefangenschaft den bis in das Entdeckungszeitalter in ganz Europa viel gelesenen Bericht über seinen Aufenthalt in China (1271–1295).

1300 Osman I. Ghazi († 1326), türkischer Herrscher in einem kleinen Bereich Kleinasiens, nimmt nach seldschukischem Vorbild die Würde eines Sultans an und begründet damit das *Osmanische Reich*.

Das vierzehnte Jahrhundert

1301 In Ungarn erlischt mit dem Haus der *Árpáden* das erste Königsgeschlecht. Nach längerem Thronstreit gewinnt 1308/10 das Haus *Anjou* die *Stephanskrone*.

1302 Papst (seit 1294) Bonifaz VIII. verkündet mit der Bulle *Unam Sanctam* die Doktrin von der Überordnung des Papstes über alle weltlichen Gewalten. Auf Betreiben des französischen Königs Philipp IV. des Schönen (1285–1314) wird er daraufhin gefangengenommen und stirbt kurz danach (1303). Dies bedeutet den ersten Sieg des europäischen Nationalstaats über den päpstlichen Universalismus. Frankreich als bevölkerungsreichstes und ökonomisch potentestes Land Europas behauptet damit auch nach außen seine Vormachtstellung auf dem Kontinent – eine Stellung, die es bis in das frühe 19. Jahrhundert hinein wird wahren können.

1308 Nach der Ermordung Albrechts I. wird Heinrich VII., Graf von *Luxemburg*, zum römisch-deutschen König gewählt (Krönung zum Kaiser 1312).

1309 Papst Klemens V. (1305–1314) – ein Franzose – wählt Avignon zur neuen Residenz. Das Papsttum unterliegt fortan dem starken Einfluß Frankreichs (*Babylonische Gefangenschaft der Kirche*).

seit etwa 1310 Das Klima verschlechtert sich drastisch. Der Rückgang der Durchschnittstemperaturen und erhöhte Niederschläge führen zu starken Ernterückgängen und in der Folge zu Hungerkatastrophen – nicht nur in Europa, sondern beispielsweise auch in China. Zusammen mit den großen Seuchen bewirkt die Klimaverschlechterung im Verlauf des 14. Jahrhunderts einen dramatischen Rückgang der Weltbevölkerung.

1310 Nach dem Aussterben des Königshauses der *Přzemysliden* in Böhmen (1306), die dort seit dem 9. Jahrhundert regiert hatten, belehnt der römisch-deutsche König Heinrich VII. seinen Sohn Johann († 1346) mit diesem größten Territorium des Reiches.

1312 Auf Betreiben Philipps IV. von Frankreich wird der *Templerorden* aufgehoben. Soweit sein Besitz nicht vom Staat eingezogen wird, geht er auf den *Johanniterorden* über. In Portugal tritt der 1317/19 gestiftete *Christusorden* die Nachfolge an.

1314 Im Reich kommt es nach dem vorzeitigen Tod Heinrichs VII. (1313) erneut zur Doppelwahl: Im Thronstreit setzt sich 1322 der *Wittelsbacher* Ludwig IV. von Bayern gegen den habsburgischen Prätendenten endgültig durch.

1319 In Norwegen, dem seinerzeit gefestigtsten der nordischen Reiche, erlischt das Königsgeschlecht. Das Land wird nachfolgend fast ununterbrochen in Personalunion entweder mit Schweden (1319–1343, 1362–1363, 1814–1905) oder Dänemark (1380–1814) regiert und bildet so während der längsten Zeit seiner Geschichte nur das Nebenland mächtigerer Nachbarn.

1320 Mit der Königskrönung Władisławs I. Lokietek in Krakau wird Polen wieder geeint. Unter dem letzten *Piasten* Kasimir dem Großen (1333–1370) erlebt das Land einen bedeutenden Aufschwung.

1324 Mansa Mussa (1312–1337), unter dem das westafrikanische Großreich Mali (12.–17. Jahrhundert) seinen Höhepunkt erlebt, unternimmt an der Spitze von 60 000 Bediensteten die Wallfahrt nach Mekka.

1326 Der osmanische Sultan Orkhan (1326–1359) erobert Bursa und macht es zu seiner Hauptstadt. Das Byzantinische Reich schrumpft derweil zum Kleinstaat.

1328 In Frankreich folgt dem direkten männlichen Zweig der *Kapetinger*, die das Land seit 987 regiert hatten, die Nebenlinie *Valois*. König Eduard III. (1327–1377) von England beansprucht als Enkel Philipps IV. des Schönen aber ebenfalls den Thron.
Iwan I. Kalita, Fürst von Moskau (1325–1340) erlangt vom Großkhan der Goldenen Horde die Großfürstenwürde von Wladimir; er veranlaßt den Umzug des Metropoliten nach Moskau und treibt die Expansion des Moskauer Staates zur Vormacht in Rußland weiter voran.

1337 König Eduard III. von England nimmt den Titel eines Königs von Frankreich an. Dadurch veranlaßt, beginnt 1339 der *Hundertjährige Krieg* (bis 1453), der für die Ausbildung einer nationalen Identität in England, vor allem aber in Frankreich große Bedeutung gewinnt.

1338 In Japan gelangt die Familie *Ashikaga* mit der Übernahme des Shogunats an die Macht. Nach ihrer Residenz, einem Bezirk von Kyoto, wird die Zeit bis 1573 auch *Muromachi-Periode* genannt. Die Kaiser treten in dieser Zeit immer weiter zurück und üben keinerlei Regierungsgewalt mehr aus.

1341 Ein Genuese entdeckt die Kanarischen Inseln wieder; sie gelangen 1344 an einen kastilischen Infanten. Etwa zur selben Zeit werden wohl auch die Azoren und Madeira entdeckt. Diese atlantischen Inseln bilden in der Folgezeit sowohl in verwaltungstechnischer wie wirtschaftlicher Hinsicht das „Laboratorium“ zur Ausbildung der Mechanismen europäischer Kolonialherrschaft in Übersee.

1346 Mit der Annahme des Kaisertitels durch Stephan Dusan (1331 bis 1355) erreicht das Serbische Großreich den Höhepunkt seiner Macht.
Im Reich wird der *Luxemburger* Karl IV. zum neuen König gewählt; er setzt sich freilich erst nach dem Tode Ludwigs des Bayern (1347) endgültig durch.

Die Engländer erringen im Hundertjährigen Krieg bei Crécy einen entscheidenden Sieg über die Franzosen und erobern 1347 auch Calais, das sie bis 1559 behaupten werden.

1347 Letztmals im Mittelalter wird eine Fahrt von Grönland nach Nordamerika erwähnt.

1347–1350 Die erste große Pestwelle zieht von Sizilien bis Norwegen über Europa hinweg. Sie erreicht 1348/49 ihren Höhepunkt und führt mit Ausnahme von Polen und Böhmen überall zu dramatischen Bevölkerungsverlusten mit entsprechenden sozialen und politischen Konsequenzen.

1349 Im Süden des Landes entsteht ein neues Reich der Thai mit der Hauptstadt Ayutthaya; das alte Zentrum Sukothai wird bald aufgegeben.

1352 Als zweiter rumänischer Staat neben dem schon seit dem ausgehenden 13. Jahrhundert bestehenden Fürstentum Walachei wird das Fürstentum Moldau begründet.

1353 Nach Luzern (1332), Zürich (1351), Glarus und Zug (1352) wird das wichtige Bern Mitglied der *Eidgenossenschaft.* Zusammen mit den drei Urkantonen bilden diese Städte die *Acht alten Orte* der Schweiz.

1354 Die türkischen Osmanen erobern Gallipoli an den Dardanellen und damit ihren ersten europäischen Stützpunkt.

1356 In der Schlacht bei Maupertuis erringen die Engländer ihren zweiten großen Sieg im Hundertjährigen Krieg. Der französische König gerät gar in Gefangenschaft.
Kaiser Karl IV. erläßt die *Goldene Bulle,* mit der das Kurfürstenkolleg (das de facto schon hundert Jahre besteht) aus sieben bevorrechtigten Königswählern im Reich (geistliche: Mainz, Köln und Trier; weltliche: Böhmen, Pfalz, Sachsen, Brandenburg) auch reichsrechtlich sanktioniert wird.

1361 Die Türken erobern Adrianopel (Edirne); es wird 1365 neue Hauptstadt des Osmanischen Reiches.

1368 Die Herrschaft der Mongolen in China wird nach schweren sozialen Krisen, die durch Hunger und Seuchen ausgelöst worden sind, gestürzt. Unter dem Namen *Ming* folgt im Reich der Mitte die letzte nationale Dynastie, die zunächst in Nanjing (Nanking), seit 1421 aber wieder in Beijing (Peking) residiert. Mit dem Sturz der Mongolen in China endet auch ihre Oberherrschaft über Korea.

1370 Nach dem Aussterben der *Piasten* wird König Ludwig der Große von Ungarn (1342–1382) auch in Polen zum König gekrönt.

1371 Der erste *Ming*-Kaiser Hongwu (= Taizu; 1368–1398) komplimentiert die letzten Europäer aus China hinaus. Das Erzbistum Peking muß aufgegeben werden. Damit endet der erste Versuch einer christlichen Mission in Ostasien.

1377 Papst (seit 1370) Gregor XI. verlegt den Sitz der Kurie von Avignon zurück nach Rom.

1378 Nach dem Tod von Papst Gregor XI. küren die Kardinäle in zwiespältiger Wahl zwei Päpste, von denen der eine in Rom verbleibt, während der andere seinen Sitz wieder in Avignon nimmt. Damit kommt es zur Kirchenspaltung, zum *Großen Abendländischen Schisma*.
Kaiser Karl IV. stirbt; im Reich wie in Böhmen folgt ihm sein Sohn Wenzel.

1384 Herzog Philipp II. der Kühne von Burgund (1363–1404) fügt seinem Besitz durch das Erbe seiner Frau zahlreiche weitere Territorien im Reich wie in Frankreich hinzu und bildet damit den Kern eines neuen burgundischen „Mittelreichs".

1385 Mit dem glänzenden Sieg bei Aljubarrota setzt der mit England verbündete Johann (I.; 1385–1433), Ordensmeister von *Avis* und illegitimer Sohn des vorletzten Königs, seinen Anspruch auf den Thron Portugals nach dem Erlöschen des ersten Herrscherhauses (1383) gegen Kastilien durch. 1386 wird das Bündnis Portugals mit England – es ist das älteste und dauerhafteste in Europa – durch den *Vertrag von Windsor* bekräftigt.

1386 Die Eidgenossen besiegen den Herzog von Tirol und Vorderösterreich in der Schlacht bei Sempach und verteidigen damit ihre Freiheit vor habsburgischen Herrschaftsansprüchen.
Die polnische Königin Hedwig (Jadwiga; 1384–1399), Tochter Ludwigs des Großen von Ungarn und Polen, heiratet den litauischen Großfürsten (seit 1377) Jagiello, der gleichzeitig die Taufe und als Władysław II. die polnische Königskrone empfängt. Er begründet die Dynastie *Jagiellonen* in Polen.

1387 In Ungarn wird der *Luxemburger* Sigismund, Sohn Kaiser Karls IV., als Gemahl Marias, einer anderen Tochter Ludwigs des Großen von Ungarn und Polen, zum König gekrönt.
Nach dem Tod ihres jugendlichen Sohnes setzt Königin Margarete I. († 1412) die Personalunion (seit 1380) zwischen Dänemark und Norwegen fort.

1389 In der Schlacht auf dem Amselfeld werden die Serben vom osmanischen Sultan (seit 1359) Murat I. besiegt. Serbien wird Vasallenstaat der

Türken. Die gleichzeitige Ermordung Murats läßt später den Mythos entstehen, die Serben hätten gesiegt.

1392 Sturz des *Koryo-Reiches* in Korea. Die *Yi-Dynastie* begründet das neue – stark konfuzianisch geprägte – Reich *Choson*. Die Hauptstadt wird 1394 von Kaesong nach Seoul verlegt.

1393 Die Osmanen besetzen die bulgarische Hauptstadt Trnovo und entthronen den letzten Bulgarenzaren. 1396 vernichten sie mit dem *Despotat* Vidin den letzten bulgarischen Staat.

1395 Timur Läng, Herrscher in Zentralasien 1380–1405, besiegt die *Goldene Horde*, wodurch sich den russischen Fürsten größere Spielräume zu eigenständiger Politik eröffnen.
Der römisch-deutsche König Wenzel erhebt den Stadtherrn von Mailand Giangaleazzo *Visconti* (1378–1402) zum Herzog.

1396 Ein Kreuzheer unter König Sigismund von Ungarn wird von den Osmanen bei Nikopolis an der Donau besiegt.

1397 *Kalmarer Union* zwischen Dänemark, Norwegen und Schweden: Königin Margarete I. läßt ihren Neffen in *einem* Akt zum König der drei Reiche krönen.

1398 Timur Läng erobert und plündert Delhi.

1399 Der englische König (seit 1377) Richard II., der mit Frankreich Frieden geschlossen hatte, wird vom Parlament förmlich abgesetzt. Sein Nachfolger Heinrich IV. († 1413) kommt aus der Nebenlinie *Lancaster*.

1400 Die Kurfürsten von Mainz, Köln, Trier und Pfalz setzen den römisch-deutschen König Wenzel ab; dieser bleibt jedoch bis zu seinem Tode (1419) König von Böhmen.

Das fünfzehnte Jahrhundert

nach 1400 An der Westküste der Malaiischen Halbinsel wird das muslimische Sultanat Malakka begründet, das sich rasch zur wichtigen Drehscheibe des Handels zwischen dem Westen und dem Osten Asiens entwickelt.

1402 Timur Läng vernichtet das Osmanenheer bei Ankara und nimmt Sultan (seit 1389) Bayezit I. gefangen. Das Byzantinische Reich gewinnt dadurch eine letzte Gnadenfrist.

Mit dem Tod Giangaleazzo *Viscontis* bricht die Vormachtstellung Mailands in Norditalien zusammen. Davon profitiert vor allem Venedig, das seinen Festlandbesitz gewaltig vergrößern kann.

1410 Im Reich wird der ungarische König Sigismund, Bruder König Wenzels von Böhmen, zum neuen römisch-deutschen König gewählt, jedoch erst 1433 auch zum Kaiser gekrönt.
In einer der größten Ritterschlachten des Mittelalters unterliegt der *Deutsche Orden* dem polnischen Heer bei Tannenberg in Preußen (polnisch: Grunwald). Im *1. Thorner Frieden* (1411) muß der Orden Gebiete an Litauen abtreten und an Polen eine gewaltige Kriegsentschädigung bezahlen.

1414–1418 Auf Initiative des römisch-deutschen Königs Sigismund tagt in Konstanz das Konzil, auf dem das *Große Abendländische Schisma* mit der Absetzung dreier konkurrierender Päpste und der Wahl Martins V. (1417–1431) überwunden wird.

1415 Der römisch-deutsche König Sigismund überläßt den *Hohenzollern* die markgräfliche und kurfürstliche Würde in der Mark Brandenburg. Dieses Geschlecht wird hier bis 1918 regieren.
Der tschechische Reformator und Kirchenkritiker Jan Hus wird auf dem *Konstanzer Konzil* trotz der Zusicherung freien Geleits als hartnäckiger Ketzer verurteilt und verbrannt. Dies löst einen langwierigen, bis 1436 andauernden militärischen Konflikt in Böhmen aus (*Hussitenkriege*).
Der englische König Heinrich V. (1413–1422) nimmt den Krieg in Frankreich wieder auf und erringt einen triumphalen Erfolg bei Azincourt.
König Johann I. von Portugal erobert zusammen mit seinen Söhnen Ceuta an der afrikanischen Küste der Meerenge von Gibraltar. Dies bildet den Auftakt zu den vor allem vom Infanten Heinrich (dem Seefahrer; † 1460) systematisch betriebenen Entdeckungsreisen der Portugiesen entlang der afrikanischen Küste.

1420 Im *Vertrag von Troyes* erreichen die siegreichen Engländer, daß der Anspruch ihres Königs auf die Thronfolge in Frankreich anerkannt wird; er wird 1422 durch den jungen König Heinrich VI. (in England 1422–1461/71) realisiert. Der französische *Dauphin* Karl (VII.; in Frankreich 1422/29–1461) bildet jedoch eine Gegenregierung, die südlich der Loire weitgehend anerkannt ist.

1427 Nach erneuter vorübergehender Angliederung an China (seit 1406) gewinnt Viet Nam seine Unabhängigkeit unter der *Le-Dynastie* (bis 1788) zurück.

1429 Das Bauernmädchen Jeanne d'Arc aus Lothringen (1431 in Rouen als Hexe verbrannt) erscheint vor dem *Dauphin* in Chinon, um ihn von ihren göttlichen Visionen zur Befreiung Frankreichs zu überzeugen. Sie erreicht die Aufhebung der Belagerung von Orléans durch die Engländer und führt den Dauphin anschließend zur rechtmäßigen Krönung als König von Frankreich nach Reims.

1431 Die Thai erobern die Khmer-Hauptstadt Angkor, die daraufhin aufgegeben wird (neue Residenz der Khmer seit 1434 Phnom Penh). Die Thai, die dem *Hinayana*-Buddhismus anhängen, übernehmen danach viele kulturelle Traditionen der Khmer wie den königlichen Absolutismus und das hinduistische Krönungsritual.

1434 Auf kaiserlichen Befehl werden die bis an die Küsten Arabiens und Ostafrikas vorangetriebenen Entdeckungsfahrten, die der chinesische Seefahrer Cheng He seit 1405 unternommen hatte, eingestellt. Die Welt wird nachfolgend nicht von China aus mit seiner nach wie vor allen anderen überlegenen Zivilisation „entdeckt" (und erobert), sondern von den Europäern.
Nach 14 vergeblichen Expeditionen umschifft der Portugiese Gil Eanes als erster europäischer Seefahrer das bis dahin als äußerste Grenze der Seefahrt geltende Kap Bojador (Westsahara).

1435 König Karl VII. von Frankreich schließt zu Arras einen Sonderfrieden mit Burgund, wodurch er freie Hand gegen die Engländer erhält. Schon im nächsten Jahr kann er Paris von diesen zurückgewinnen.

1437 Kaiser Sigismund stirbt in Mähren; im Reich wie in seinen Königreichen (Ungarn und Böhmen) folgt ihm sein Schwiegersohn, Albrecht II. († 1439). Mit diesem gelangt das *Haus Habsburg* dauerhaft (bis 1740) an die Spitze des Reiches.

1438 Unter dem neuen Herrscher Pachacutec Yupanqui beginnt die gewaltige Expansion des *Inka-Reiches* in Südamerika – des ausgedehntesten aller präkolumbianischen Indianerreiche.

1439 Nach der Madeira-Gruppe (1425) nehmen die Portugiesen auch die (unbewohnten) Azoren in Besitz.

1440 Im Reich wird der *Habsburger* Friedrich III. zum neuen König gewählt; als letzter römisch-deutscher Herrscher empfängt er 1452 vom Papst in Rom die Kaiserkrone.

1441 Der portugiesische Seefahrer Nuño Tristão erreicht das Cabo Blanco in Mauretanien. Erstmals werden schwarze Sklaven nach Europa gebracht.

1442 König (seit 1416) Alfons V. von Aragón († 1458) erobert das Königreich Neapel und stürzt die *Anjou* hier endgültig. Die *Krone Aragón* beherrscht fortan das ganze westliche Mittelmeer.

1444 Der portugiesische Seefahrer Dinis Dias erreicht das Cabo Verde in Senegal und damit die Westspitze Afrikas.
Der osmanische Sultan Murat II. (1421–1451) besiegt bei Varna in Bulgarien ein vom polnischen König angeführtes Kreuzheer.

1448 Das nordische Unionskönigtum endet. Nur Dänemark und Norwegen bleiben unter der neuen Dynastie der *Oldenburger* in Personalunion vereinigt; Schweden geht mit der Wahl einheimischer Könige und Regenten eigene Wege.

1450 Nach dem Aussterben der *Visconti* (1447) gewinnt das Haus *Sforza* die Herzogswürde von Mailand.

1453 Der osmanische Sultan Mehmet II. Fatih (1451–1481) erobert nach längerer Belagerung Konstantinopel, das er zu seiner neuen Hauptstadt bestimmt, und führt damit endgültig den Fall des Byzantinischen Reiches herbei. Die griechischen Restgebiete auf der Peloponnes und am Schwarzen Meer (Trapezunt) werden 1460/61 ebenfalls türkisch. Nach der Eroberung der alten Metropole am Bosporus nimmt der osmanische Sultan den persischen Kaisertitel *Padischah* an.
Mit der Kapitulation von Bordeaux endet der *Hundertjährige Krieg* ohne förmlichen Friedensschluß. Die unterlegenen Engländer behaupten auf dem Festland fortan nur noch Calais.

1457 Der polnische König Kasimir IV. (1444–1492) hält Einzug auf der Marienburg. Der *Hochmeister* des *Deutschen Ordens* verlegt seinen Sitz daraufhin nach Königsberg.

1461 Die letzte noch von Heinrich dem Seefahrer entsandte portugiesische Expedition unter Pedro da Sintra erreicht Sierra Leone und die Pfefferküste (Liberia).

1466 Im *2. Thorner Frieden* muß der Deutsche Orden weitere Gebiete (wie etwa das Ermland) an Polen abtreten. Das Restgebiet (Ostpreußen) wird polnischer Lehenshoheit unterstellt.

1467 In Japan beginnt ein Bürgerkrieg; die Macht der *Ashikaga-Shogune* verfällt immer mehr. Es beginnt die Zeit der „kämpfenden Provinzen" (*Sengoku*; bis 1568).

1468 Mit dem Tod Skanderbegs, des albanischen Nationalheroen, erlischt der letzte Widerstand gegen die Türkenherrschaft auf dem Balkan.

Die Mehrzahl der Albaner wie Bosniaken bekehren sich zum Islam, während die übrigen Völker zumeist am angestammten christlichen Bekenntnis festhalten.

1471 Die Vietnamesen vernichten das alte Reich *Champa* – Wiege der Kultur in Südostasien, und gewinnen damit den Süden ihres heutigen Territoriums.
In England endet ein langer Bürgerkrieg (*Rosenkriege*; seit 1455) definitiv mit einem Sieg des Hauses *York* über das Haus *Lancaster*.

1474 Isabella von Kastilien († 1504) und Ferdinand V. von Aragón, seit 1469 miteinander verheiratet, treten gemeinsam die Regierung in Kastilien an und bereiten damit die Einigung der Iberischen Halbinsel (ohne Portugal) zum Königreich Spanien vor.

1477 Nach Niederlagen gegen die Eidgenossen bei Grandson und Murten (1476) fällt Herzog (seit 1467) Karl der Kühne von Burgund vor Nancy in einer weiteren Schlacht. Um ihr Erbe zu verteidigen, heiratet seine Tochter Maria noch im selben Jahr Erzherzog Maximilian (I.) von Österreich, den Sohn des Kaisers.

1479 Im *Vertrag von Alcaçovas* grenzen Portugal und Kastilien ihre Interessensphären im Atlantik gegeneinander ab. Von den Inseln behauptet Kastilien nur die Kanaren; Portugal erhält dafür das Monopol für den Guinea-Handel und alle weiteren Entdeckungen in Afrika.

1480 Der Moskauer Großfürst Iwan III. (1462–1505) schüttelt endgültig die freilich nur noch formal bestehende Oberherrschaft der *Tataren* ab.
Der höchst erfolgreiche französische König Ludwig XI. (1461–1483) erwirbt das Anjou, das Maine und die Provence für die Krone, wodurch Frankreich erstmals auf breiter Front Zugang zum Mittelmeer erhält.

1482 Die Portugiesen begründen an der Westküste Afrikas (im heutigen Ghana) Faktorei und Fort São Jorge da Miña, für Jahrhunderte der wichtigste Stützpunkt für den transatlantischen Handel der Europäer mit afrikanischen Sklaven.

1483 Der wagemutige portugiesische Seefahrer Diogo Cão erreicht die Mündung des Kongo; auf seiner zweiten Reise dringt er 1485/86 bis an die Küsten Namibias vor.

1484 Der Papst erläßt eine Bulle, mit der die Hexenverfolgung kirchenrechtlich legitimiert wird.

1485 In England stürzt Heinrich VII., der erste *Tudor*-König, die Herrschaft des Hauses *York*.

1487/88 Der portugiesische Seefahrer Bartolomeu Dias umschifft als erster Europäer die Südspitze Afrikas und entdeckt auf der Rückreise das *Kap der Guten Hoffnung.*

1489 Caterina Cornaro, letzte lateinische Königin Zyperns, tritt die Insel an Venedig ab.

1490 Matthias *Corvinus,* letzter einheimischer König (seit 1458) Ungarns und bedeutender Förderer des Humanismus, stirbt in Wien.

1492 Isabella und Ferdinand von Kastilien nehmen nach langem Krieg die Kapitulation Granadas entgegen – des letzten muslimischen Staates auf der Iberischen Halbinsel. Kurz darauf beauftragen sie den Genuesen Christoph Kolumbus mit der Entdeckung des Seeweges nach Ostasien und Indien in westlicher Richtung. Tatsächlich entdeckt Kolumbus noch im selben Jahr die Bahamas, Kuba und Hispaniola, ohne zu erkennen, in einer neuen Welt gelandet zu sein.

1493 Kaiser Friedrich III. stirbt nach langer Regierung in Linz; im Reich folgt ihm sein Sohn Maximilian I., der im selben Jahr im *Frieden von Senlis* einen Großteil der Erbschaft (Niederlande, Freigrafschaft Burgund) seiner Gemahlin zu behaupten vermag. Frankreich erhält aus dem burgundischen Erbe nur das Herzogtum Burgund und die Picardie.

1494 Unter Berufung auf Erbansprüche greift König Karl VIII. (1483 bis 1498) von Frankreich in (Süd-)Italien ein; damit wird ein bis 1559 andauerndes Ringen zwischen Frankreich und der *Krone Aragón* bzw. dem Hause *Habsburg* um die Vorherrschaft auf der Apenninhalbinsel eröffnet. Nach langen Kämpfen räumen die Franzosen 1504 das Königreich Neapel. Auf Grundlage einer päpstlichen Bulle grenzen Portugal und Kastilien im *Vertrag von Tordesillas* ihre Interessensphären im Atlantik ab. Kastilien erhält das exklusive Entdeckungsrecht jenseits einer von Pol zu Pol 2100 Kilometer westlich der Azoren verlaufenden Linie und damit de facto das Monopol auf die (noch nicht entdeckte) *Südwestpassage.*

1495 Auf dem *Reichstag von Worms* wird die lange angestrebte Reichsreform mit der Verkündung eines ewigen Landfriedens, der Einrichtung eines Reichskammergerichts und der Erhebung einer allgemeinen Reichssteuer wenigstens teilweise verwirklicht.

1496 Die *Habsburger* schließen eine doppelte Eheverbindung mit dem Hause Kastilien, durch den sie einen Thronanspruch in Spanien gewinnen (eingelöst 1516 durch Karl I. bzw. V., * 1500).

1497 Der Genuese Giovanni Caboto (englisch John Cabot) erreicht in englischem Auftrag noch vor den Spaniern Nordamerika.

1497–1499 Der Portugiese Vasco da Gama befährt als erster Europäer die Seeroute um das Kap nach Indien, wo er 1498 landet.

1498–1500 Auf seiner dritten Reise erreicht Kolumbus erstmals das südamerikanische Festland.

1500 Auf einer Indienfahrt entdeckt der Portugiese Cabral in der Folge von Navigationsfehlern Brasilien und nimmt es für seine Krone in Besitz.

Das sechzehnte Jahrhundert

nach 1500 Das *Reich der Azteken,* letztes in der langen Reihe der mesoamerikanischen Hochkulturen und Staatsbildungen, erreicht seine größte Ausdehnung und den Höhepunkt seiner militärischen Machtentfaltung.

1502 Ismail, Begründer der *Safawiden*-Dynastie und des modernen Iran, nimmt den Titel eines *Schah-in-schah* (Kaisers) an. Bis zu seinem Tod 1524 erobert er den größten Teil des Iran.
Die Spanier führen den Anbau von Rohrzucker auf Hispaniola ein.

1503 In Sevilla und in Lissabon wird jeweils ein königliches Handelshaus mit dem Monopol für den neuen Überseehandel begründet.

1505 Die Portugiesen richten erste Stützpunkte auf Ceylon ein.
In Polen wird die Macht des Königs durch ein neues Verfassungsgesetz drastisch beschränkt, das Land wandelt sich damit zur Adelsrepublik.

1507 Auf zwei Karten des deutschen Kartographen Waldseemüller erscheint erstmals der Name *America* für den neu entdeckten Kontinent. Er leitet sich vom Vornamen des in spanischen Diensten stehenden florentinischen Entdeckers Amerigo Vespucci ab.

1510 Der portugiesische Vizekönig in Indien, Afonso de Albuquerque, erobert Goa und macht es zur Hauptstadt der portugiesischen Besitzungen östlich des Kaps der Guten Hoffnung.

1511 Die Spanier lassen sich auf Cuba nieder.
Die Portugiesen erobern mit Malakka die Drehscheibe des Handels zwischen Indien und China. Der einheimische Sultan verlegt seine Residenz daraufhin nach Johore.

1513 Vasco Nuñez de Balboa sichtet als erster Europäer nach Überquerung der Landenge von Panama den Pazifik von Amerika aus.
Die Spanier entdecken Florida.
Portugiesische Schiffe erreichen erstmals chinesische Häfen.

1515 In Frankreich folgt mit König Franz I. († 1547) die Nebenlinie *Angoulême* auf dem Thron.
Die Portugiesen erobern den wichtigen Handelsplatz Hormuz am Eingang zum Persischen Golf.

1516 Die Länder der Kronen Kastilien und Aragón werden unter der Herrschaft Karls I., des Enkels von Isabella und Ferdinand und väterlicherseits von *habsburgischer* Abkunft, de facto zum Königreich Spanien vereinigt.
Die Spanier entdecken auf der Suche nach der Südwestpassage die Mündung des Rio de la Plata.

1517 Padischah (seit 1512) Selim I. *Yavuz* verleibt Ägypten und den Hedschas (mit Mekka und Medina) dem Osmanischen Reich ein und nimmt daraufhin den Titel eines *Kalifen* (= Oberhaupt der sunnitischen Muslime) an.
Martin Luther (1483–1546) veröffentlicht in Wittenberg 95 Thesen, in denen er das päpstliche Ablaßwesen kritisiert. Sie finden einen gewaltigen Widerhall im Reich und erschüttern binnen kurzem die Autorität von Kirche und Papst in den Grundfesten.

1519 Im Reich wird der spanische König Karl I. als Karl V. zum Nachfolger seines Großvaters Maximilian I. gewählt. Er nimmt 1520 den Kaisertitel an, wird jedoch erst 1530 auch förmlich vom Papst zum Kaiser gekrönt.

1519–1521 Der spanische *Conquistador* Hernán Cortés erobert das Aztekenreich in Mexico.

1519–1522 Fernão de Magalhães (erschlagen 1521 auf den Philippinen) und Juan Sebastiano Elcano vollenden die erste vollständige Umsegelung der Erde. Dabei wird auch die *Südwestpassage* zwischen dem südamerikanischen Festland und Feuerland erstmals befahren.

1520 Der Papst bannt Luther. Dieser appelliert im Gegenzug an ein allgemeines Konzil und übergibt die Bannbulle dem Feuer.
Auf Selim I. *Yavuz* folgt mit Süleyman II. (I.) *Kanuni* (Soliman dem Prächtigen; † 1566) der bedeutendste aller osmanischen Herrscher.

1521 Der Papst exkommuniziert Luther und seine Anhänger. Luther selbst verweigert auf dem *Reichstag zu Worms* den Widerruf seiner Schrif-

ten, worauf die Reichsacht über ihn verhängt wird. Gleichwohl setzt sich die *Reformation* gemäß der lutherischen Lehre anschließend in vielen Territorien des Reiches (vor allem in Nord-, Mittel- und Südwestdeutschland) durch.
Die Osmanen erobern die ungarische Festung Belgrad.

1522 Die Osmanen erobern die Insel Rhodos. Der *Johanniterorden* findet 1530 auf Malta eine neue Zuflucht.

1523 Mit Gustav I. († 1560) gelangt das Haus *Wasa* auf den schwedischen Thron.
In Zürich wird die Reformation nach der Lehre von Huldrych Zwingli durchgeführt.

1524 Im Auftrag des französischen Königs befährt der Florentiner Giovanni da Verrazzano auf der Suche nach der *Nordwestpassage* die Küsten Nordamerikas.
In Spanien wird für die Verwaltung der Kolonien eine eigene Zentralbehörde eingerichtet. Es ist der in vorindustrieller Zeit einzigartige Versuch, riesige Flächenkolonien von Europa aus nach einheitlichen Prinzipien bürokratisch zu verwalten.

1524–1525 In einigen Regionen des Reiches (u.a. Schwaben, Franken, Thüringen) erheben sich – inspiriert von Luthers Reformation – die Bauern gegen Leib- und Grundherrschaft. Der Aufstand wird von Herren und Fürsten jedoch blutig unterdrückt.

1525 Die Kaiserlichen schlagen das erneut nach Oberitalien eingedrungene Heer des französischen Königs, der dabei sogar in Gefangenschaft gerät (bis 1526).
Der *Hochmeister* des Deutschen Ordens, ein *Hohenzoller,* wandelt den Ordensstaat in das weltliche Herzogtum Preußen um und führt dort anschließend die Reformation durch.

1526 Der turkstämmige Feldherr Babur aus Samarkand († 1530) besiegt den Sultan von Delhi bei Panipat und errichtet im nördlichen Indien die Herrschaft der *Großmoguln,* die unter seinem Enkel Akbar dem Großen (1556–1605) einen ersten Höhepunkt erreicht.
Die Osmanen schlagen den ungarischen Heerbann bei Mohács und annektieren bis 1541 den größeren Teil der *Länder der Stephanskrone.* Diese selbst gelangt (zusammen mit der böhmischen) nach dem Schlachtentod des jungen *Jagiellonen*königs dauerhaft an die *Habsburger.*
König Friedrich I. von Dänemark und Norwegen führt die Reformation in seinen Ländern durch. Sie setzt sich auch in Schweden rasch durch, so daß ganz Skandinavien geschlossen *lutherisch* wird.

1529 Die Osmanen belagern zum erstenmal erfolglos Wien.

1531 Francisco Pizarro landet in Peru. Unter Ausnutzung eines Thronstreits gelingt ihm bis 1533 die Eroberung des Inkareichs mit der Zentrale Cuzco. 1535 gründet er *Ciudad de los Reyes* (= Lima).

1532 Kaiser Karl V. erhebt die *Medici,* die schon seit 1434 faktisch die Herrschaft in der Stadt ausüben, zu Herzögen von Florenz. 1569 folgt die Erhebung zu Großherzögen der Toskana.

1534 Der Franzose Jacques Cartier entdeckt auf der Suche nach der *Nordwestpassage* die Mündung des St. Lorenz-Stroms.
König Heinrich VIII. von England (1509–1547) löst die Kirche seines Landes aus der jurisdiktionellen, dogmen- und liturgiebestimmenden Autorität des Papstes, ohne jedoch die Reformation durchzuführen.

1535 Die Spanier gründen das Vizekönigreich Neu-Spanien (*Nueva España*). Es umfaßt Mexiko, die Karibik, Zentralamerika und Venezuela.
Nach dem Aussterben der *Sforza* zieht Kaiser Karl V. das Herzogtum Mailand, das fortan zum habsburgischen Besitz gehört, als heimgefallenes Reichslehen ein.
Kaiser Karl V. führt einen erfolgreichen Zug gegen Tunis.

1536 In Genf wird die *Reformation* nach der Lehre von Jean Cauvin (Calvin) durchgeführt. Die Stadt, in die der Reformator erst 1541 zurückkehrt, wird damit zum Ausgangspunkt einer weiteren Reformationsbewegung, die vor allem den Nordwesten Europas erfaßt.

1538 Nach der Walachei muß auch das zweite rumänische Fürstentum Moldau die Oberhoheit des Padischah anerkennen.

1540 Der neu gegründete *Jesuitenorden* erhält die päpstliche Bestätigung.
Spanische *Conquistadores* entdecken den Grand Canyon, im Jahr darauf auch den Mississippi.

1541 Heinrich VIII. von England nimmt den Titel eines *Königs von Irland* an.
Spanische Deserteure befahren als erste Europäer den gesamten Lauf des Amazonas von den Anden bis zur Mündung.

1542–1546 Die Spanier unterwerfen das *Maya-Reich* und vernichten damit eine weitere der amerikanischen Hochkulturen.

1543 Die Spanier gründen das Vizekönigreich Peru mit der Haupstadt Lima. Es umfaßt ganz Südamerika ohne Brasilien und Venezuela, aber einschließlich Panamas.

Portugiesische Seefahrer erreichen erstmals Japan, wo sie seit 1545 auch Handel treiben.

1545 In Potosí (im heutigen Bolivien) werden reiche Silbervorkommen entdeckt, im Jahr darauf auch in Mexiko. Das in Zwangsarbeit durch Indianer abgebaute Silber gelangt in der Folge größtenteils nach Europa, wo es eine langanhaltende Inflation, die *Preisrevolution des 16. Jahrhunderts,* bewirkt.
In Trient wird das XIX. allgemeine Konzil – nach dem Tagungsort *Tridentinum* genannt – eröffnet. Auf seinen bis 1563 abgehaltenen Sitzungen wird die Reform der katholischen Kirche in Reaktion auf die Reformation vorangetrieben.

1546 An seinem Wirkungsort Salamanca stirbt Francisco de Vitoria, der Begründer des modernen Völkerrechts. Im Unterschied zu späteren nordwesteuropäischen Theoretikern hinterläßt er ein Werk, in dem die Herrschaft der Europäer in Übersee, Kolonialismus und Ausbeutung kritisch gesehen werden.

1547 Großfürst Iwan IV. von Moskau (1533–1584), in Deutschland „der Schreckliche“ genannt, nimmt den Titel eines *Zaren von ganz Rußland* an.

1547–1552 In England wird die Reformation durchgeführt. Die neue *Anglikanische Hochkirche,* die allein der Autorität des Königs untersteht, bleibt in der Liturgie jedoch der Tradition verpflichtet.

1549–1551 Der Jesuit Francisco de Xavier († 1552 in China) hält sich in Japan auf; er legt den Grundstock für die hier zunächst erfolgversprechende christliche Mission.

1552 Die Eroberung von Kazan an der Wolga durch Truppen des Zaren bildet den Auftakt zur Eroberung Sibiriens durch Rußland.

1554 In Marokko werden die *Wattasiden* (seit 1472) endgültig durch die *Saadier* (bis 1659) abgelöst.

1555 Im Reich wird mit dem *Augsburger Religionsfrieden* der lutherische Glaube anerkannt. Damit wird die Bikonfessionalität in Deutschland als einzigem Land Europas mit Ausnahme der damals noch zum Reich gehörenden Niederlande und der Schweiz festgeschrieben.

1556 Kaiser Karl V. († 1558) dankt ab. In Spanien (einschließlich der italienischen und niederländischen Territorien des Hauses Habsburg) folgt ihm sein Sohn Philipp II. († 1598), im Reich sein Bruder Ferdinand I.

(† 1564). Die *Habsburger* sind fortan in einen spanischen und einen österreichischen Zweig gespalten, die jedoch politisch eng zusammenwirken. Finnland wird zum Herzogtum erhoben – erblich im schwedischen Königshaus.

1557 Die Portugiesen übernehmen mit Billigung lokaler Gewalten Macao als ersten dauerhaften europäischen Stützpunkt in China.

1559 Im *Frieden von Cateau-Cambrésis* verzichtet der französische König definitiv auf alle Ansprüche in Italien, das nunmehr ganz spanischer Hegemonie untersteht.

nach 1560 In Europa tritt eine spürbare Klimaverschlechterung mit einem deutlichen Rückgang der Durchschnittstemperaturen ein, die sich bis in das frühe 18. Jahrhundert fortsetzt. Mißernten und nachfolgende Subsistenzkrisen häufen sich. Zusammen mit der galoppierenden Inflation, die ihren Höhepunkt im frühen 17. Jahrhundert erreicht, bewirkt dies eine Verschärfung der sozialen und politischen Spannungen überall in Europa.

1565 Die Spanier gründen in Florida die heute St. Augustine benannte Stadt als älteste europäische Dauersiedlung im Gebiet der heutigen USA. Die *Johanniter* wehren den Angriff einer gewaltigen osmanischen Streitmacht auf Malta erfolgreich ab. Die kleine Insel, für deren Verteidigung enorme Mittel aus ganz Europa aufgebracht werden, bleibt in der Folge stets christlich.

1565–1570 Die Spanier erobern die Philippinen und gründen als deren Hauptstadt 1571 Manila. Bis zum Ende des 18. Jahrhunderts bleiben die Inseln hauptsächlich mit dem spanischen Mexiko (Hafen von Acapulco) im Handelsaustausch verbunden.

1566 In den Niederlanden, wo schon zahlreiche einflußreiche Persönlichkeiten dem *Calvinismus* anhängen, beginnt der Aufstand gegen die spanische Herrschaft.

1568 Oda Nobunaga (ermordet 1582), japanischer Kriegsherr (*Daimyo*), zieht in Kyoto ein und übernimmt die Macht im Lande. 1573 setzt er den letzten Ashikaga-Shogun ab. Die nachfolgende Zeit der fortgesetzten Kriege unter den drei großen Reichseinigern bis 1600 wird *Azuchi-Momoyama-* oder *Shokuho-Periode* genannt.

1569 Polen und Litauen verbinden sich in der *Lubliner Union* unauflöslich. Aber nur Außenpolitik und Währung sind gemeinschaftlich.

1570/71 Osmanische Verbände erobern Zypern und unterwerfen die Insel vollständig der Herrschaft des Padischah.

1571 Eine spanisch-venezianische Flotte erringt einen großen Seesieg über die Türken bei Lepanto im Golf von Korinth.

1572 In Polen erlischt das *Jagiellonenhaus*. In der Folge werden Könige aus verschiedenen europäischen Dynastien gewählt.
In der *Bartholomäusnacht* werden in Paris und anderen französischen Städten nördlich der Loire Tausende von Hugenotten (= französischen Protestanten) umgebracht.

1576 Im Reich folgt auf Kaiser (seit 1564) Maximilian II. dessen Sohn Rudolf II.; er wählt Prag zur bevorzugten Residenz.

1576–1578 Auf der Suche nach der *Nordwestpassage* entdeckt der Engländer Martin Frobisher Baffin Island und die Hudsonstraße.

1578 Portugals jugendlicher König (seit 1557) Sebastian verliert bei dem abenteuerlichen Versuch, die Muslime in Marokko entscheidend zu treffen, bei Al-Qsar al-Kabir Schlacht und Leben. Nach dem Tod von Sebastians Onkel wird Portugal 1580 unter Philipp II. mit Spanien in Personalunion vereinigt.

1581 Die in der *Utrechter Union* von 1579 zusammengeschlossenen sieben nördlichen niederländischen Provinzen sagen sich von ihrem Landesherrn, dem spanischen König, los. Sie bilden fortan eine unabhängige Republik, die *Generalstaaten*.

1583 England nimmt das durch seine reichen Fischgründe ökonomisch wichtige Neufundland als erste Kolonie in Nordamerika in Besitz.

1584 Der *Daimyo* Toyotomi Hideyoshi († 1598) übernimmt die Macht in Japan und eint das Land erneut.

1585 Ein erster englischer Siedlungsversuch in dem nach der jungfräulichen Königin (seit 1558) Elisabeth I. *Virginia* genannten Gebiet in Nordamerika scheitert.
Die Spanier erobern das wichtige Antwerpen zurück. Die dort lebenden Protestanten wandern größtenteils nach Amsterdam ab, das in der Folge zum wichtigsten Finanzplatz Europas aufsteigt.

1585–1587 Auf der Suche nach der *Nordwestpassage* entdeckt John Davis die nach ihm benannten Meeresstraße zwischen Grönland und Baffin Island.

1587 In Japan wird das Christentum verboten; erste Christenverfolgungen beginnen 1596.
Königin Elisabeth I. von England läßt ihre potentielle katholische Rivalin, die 1567 entthronte schottische Königin Maria *Stewart*, hinrichten.

1588 Die nach der Hinrichtung Maria *Stewarts* zur Invasion Englands ausgelaufene spanische *Armada* wird im Ärmelkanal von den Engländern besiegt und fast vernichtet.

1589 In Frankreich wird König (seit 1574) Heinrich III. ermordet. Mit ihm endet das Haus *Valois*. Nachfolger wird der erste *Bourbone* auf dem Thron, Heinrich IV., König von Navarra. Dieser schwört 1593, um seinen Anspruch im katholischen Frankreich durchzusetzen, seinem calvinistischen Glauben ab und wird 1594 in Reims gekrönt.

1591 Der marokkanische Sultan vernichtet mit Songhai (Hauptstadt Gao) das letzte der westafrikanischen Großreiche.

1594–1597 Auf der Suche nach der *Nordostpassage* entdeckt der Holländer Willem Barentsz Novaja Semlja, die Bäreninsel und Spitzbergen.

1597/98 Nach einer ersten Invasion Koreas (1592) trägt der japanische Machthaber Toyotomi Hideyoshi den Krieg erneut auf die Halbinsel; seine Streitkräfte werden aber vom koreanischen Admiral Yi Sun-shin besiegt.

1598 In Rußland erlischt das seit dem 9. Jahrhundert regierende Herrschergeschlecht der *Rjurikiden*. Es folgt die Zeit der Wirren (*smuta*), in der sich verschiedene Prätendenten auf dem Thron ablösen.
König Heinrich IV. von Frankreich erläßt das *Edikt von Nantes*; darin wird den Hugenotten u. a. die freie Ausübung ihres Kultes zugestanden.

1599 Wegen ihrer Einflußnahme auf die Innenpolitik wird die aus Spaniern bestehende Leibgarde am Hof des Khmerkönigs massakriert. Die christliche Mission in Kambodscha bleibt danach ohne jeden Erfolg.

vor 1600 Aus Amerika werden zahlreiche Nutzpflanzen nach Europa eingeführt, u. a. Mais, Tabak, Tomate und Kartoffel, die zunächst freilich meist nur als Zierpflanzen gezogen werden und erst im 18. oder 19. Jahrhundert auch wirtschaftliche Bedeutung gewinnen. Umgekehrt gelangen aus Europa Nutzpflanzen (Zuckerrohr, Weizen, Hafer) und -tiere (Pferde, Rinder, Schweine, Geflügel) in die Neue Welt.

1600 Tokugawa Ieyasu († 1616) übernimmt die Macht in Japan.
Seit 1603 bekleidet er auch offiziell das Amt eines *Shoguns*, das er aber bereits 1605 zugunsten seines Sohnes niederlegt. Nach seiner Familie wird die nachfolgende Zeit bis 1868 *Tokugawa*-Periode oder deren Residenz auch *Edo*-(= Tokyo)-Periode genannt.

Königin Elisabeth I. von England privilegiert die im Vorjahr zur Brechung des portugiesischen Monopols im Asienhandel gegründete *East India Company.*

Das siebzehnte Jahrhundert

1602 In den Niederlanden wird die *Vereenigde Oostindische Compagnie* (VOC) als Aktiengesellschaft gegründet. Sie ist für lange Zeit die kapitalkräftigste, mächtigste und erfolgreichste der europäischen Handelskompanien in Übersee. Von den *Generalstaaten* wird sie mit dem Handelsmonopol zwischen dem Kap der Guten Hoffnung und der Magellanstraße sowie mit staatlichen Prärogativen privilegiert.

1603 Königin Elisabeth I. von England stirbt; ihr folgt Jakob I., der Sohn Maria *Stewarts,* als Jakob VI. seit 1567 bereits König von Schottland. England und Schottland werden somit in Personalunion vereint.

1606 Im *Frieden von Zsitvatorok* erkennt der osmanische Padischah den Kaiser erstmals als gleichberechtigten Herrscher an. Der auf der Basis des territorialen status quo geschlossene Friede mit dem finanziell ausgebluteten und geschwächten Osmanischen Reich hält bis 1663 und ermöglicht es den Habsburgern erst, ihre Macht im *Dreißigjährigen Krieg* zur Geltung zu bringen.
Der Spanier Luis Vaez de Torres befährt als erster die nach ihm benannte Meerenge zwischen Australien und Neuguinea.

1607 Der Herrscher von *Monomotapa,* eines bedeutenden Bantu-Reiches im südlichen Afrika (Ruinen von Zimbabwe) tritt seine Bergwerke an die Portugiesen ab. Das Reich verfällt danach immer mehr und erlischt schließlich 1693.
Englische Kolonisten gründen Jamestown als erste dauerhafte Siedlung in Virginia.
In der irischen Provinz *Ulster* werden planmäßig Protestanten aus England und Schottland angesiedelt und damit der Keim für den späteren Nordirland-Konflikt gelegt.

1608 Nach der gewaltsamen Rekatholisierung der Reichsstadt Donauwörth durch Bayern gründen einige protestantische Reichsstände unter pfälzischem Direktorium die evangelische *Union* zur Wahrung ihrer Interessen im Reich.
Erzherzog Matthias zwingt seinen Bruder Kaiser Rudolf II. zum Verzicht auf die Herrschaft in Österreich, Böhmen und Ungarn zu seinen Gunsten.

Der französische Kolonialpionier Samuel de Champlain gründet die Stadt Quebec.

1609 Als Gegenstück zur protestantischen Union gründet Herzog Maximilian I. von Bayern (1597–1651) in München die katholische *Liga*.
Der Holländer Hugo Grotius liefert mit der Veröffentlichung seines *Mare liberum* (= Über die Freiheit der Meere) die juristische und theoretische Begründung für den Einbruch der nordwesteuropäischen Mächte in die kolonialen Interessensphären der iberischen Länder.

1610 König Heinrich IV. von Frankreich wird ermordet. Auf dem Thron folgt ihm sein Sohn Ludwig XIII. (zunächst unter Vormundschaft).

1611 Der englische Entdecker Henry Hudson wird von seiner Mannschaft in der nach ihm benannten Bay ausgesetzt.

1612 Das Christentum wird in Japan erneut verboten. Die Missionare werden 1614 ausgewiesen oder deportiert. Seit 1622 finden systematische Verfolgungen statt, die das Christentum in Japan bis um 1640 praktisch auslöschen.
Nach dem Tod von Kaiser Rudolf II. tritt sein Bruder Matthias auch im Reich die Nachfolge an.

1612–1616 Der englische Entdecker William Baffin entdeckt bei mehreren Reisen auf der Suche nach der *Nordwestpassage* u.a. die nach ihm benannte Insel.

1613 In Moskau wird der junge Michail *Romanow* zum Zaren gewählt. Mit seiner Thronbesteigung endet in Rußland die Zeit der Wirren (*smuta*).

1614 Im *Vertrag von Xanten* erwirbt der Kurfürst von Brandenburg Kleve, Mark und Ravensberg und faßt damit erstmals im Westen des Reiches Fuß.

1617 Im *Frieden von Stolbowo* gewinnt Schweden Ostkarelien und Ingermanland von Rußland, das damit jeden Zugang zur Ostsee verliert.

1618 Protestantische Opponenten der habsburgischen Herrschaft in Böhmen werfen die beiden Statthalter nebst ihrem Sekretär aus dem Fenster des Prager *Hradschin* und lösen damit den *Dreißigjährigen Krieg* aus.
Im Erbgang gelangt das Herzogtum Preußen an Brandenburg. Die polnische Lehenshoheit bleibt davon unberührt. Nach dieser und der klevischen Erbschaft sind die Interessen des Hauses *Hohenzollern* in den nachfolgenden Jahrhunderten auf die Achse Niederrhein – Königsberg konzentriert.

1619 Die Niederländer erobern Djakarta auf Java und machen es als *Batavia* zum Zentrum ihres Kolonialbesitzes in Asien.
Im Reich folgt dem verstorbenen Kaiser Matthias dessen Vetter Ferdinand II. als bereits gekrönter König von Ungarn und Böhmen.
Die ständische Opposition in Böhmen setzt Ferdinand II. ab und wählt an seiner Stelle den calvinistischen Kurfürsten (seit 1610) Friedrich V. von der Pfalz zum neuen König.

1620 Mit der verlorenen Schlacht am Weißen Berg vor Prag bricht die Herrschaft des fortan *„Winterkönig"* genannten Kurfürsten Friedrich V. von der Pfalz in Böhmen zusammen.
Die *Pilgerväter* (protestantische Dissidenten) landen mit der *Mayflower* in Massachusetts und gründen dort mit der *Plymouth Plantation* die Keimzelle Neuenglands.

1621 In den Niederlanden wird die *Westindische Compagnie* (WIC) begründet und mit dem Monopol für den Atlantikhandel privilegiert.

1622 Der kaiserliche Feldherr Tilly schlägt die Protestanten mehrfach und erobert die Pfalz. Kaiser Ferdinand II. überträgt die pfälzische Kurwürde im Folgejahr auf den bayerischen Herzog Maximilian I.

1624 In Frankreich übernimmt Kardinal Richelieu († 1642) faktisch die Leitung der (Außen-)Politik.
Nach dem freiwilligen Weggang der Engländer (1623) werden die Spanier aus Japan ausgewiesen.
Nach St. Kitts (St. Christopher; 1623) erwirbt England die unbewohnte Insel Barbados als ersten wichtigen Stützpunkt in der Karibik. Die Insel, zuerst von Weißen, später hauptsächlich von afrikanischen Sklaven besiedelt, gelangt durch den Anbau von Tabak, später von Zuckerrohr zu außerordentlichem Reichtum und gibt dadurch anderen europäischen Mächten Anreiz, Kolonialbesitz in der Karibik (der bis zur Mitte des 18. Jahrhunderts wichtiger bleibt als alle Besitzungen in Nordamerika) zu erwerben. 1628 lassen sich englische Kolonisten auch auf der Insel Barbuda nieder und 1632 auf Antigua.

1625 König Christian IV. von Dänemark (1588–1648) greift zugunsten der Protestanten in den *Dreißigjährigen Krieg* ein. Der Kaiser beauftragt derweil den böhmischen Kriegsunternehmer Albrecht von Wallenstein mit dem Aufbau eines eigenen Söldnerheeres.

1626 Der dänische König wird von Tilly bei Lutter am Barenberge vernichtend geschlagen.
Niederländer erwerben die Halbinsel Manhattan und gründen dort *Neu-Amsterdam* (= das spätere New York).

1627 Das Reich *Choson* der *Yi-Dynastie* in Korea wird Vasallenstaat der Mandschus. Das Vasallitätsverhältnis wird auch nach deren Machtübernahme in China als *Qing-Dynastie* (1644) fortgesetzt. Korea bleibt europäischen Einflüssen nachfolgend bis in das 19. Jahrhundert völlig verschlossen.
Wallenstein vertreibt den dänischen König aus dem Reich und stößt bis zur Ostsee vor.

1628 König (seit 1625) Karl I. von England und Schottland stimmt der *Petition of Rights* des englischen Parlaments zu. Damit verzichtet er auf jedes besondere Kriegs- und Notrecht im Lande.

1629 Kaiser Ferdinand II. erläßt das *Restitutionsedikt,* demzufolge alle seit 1552 reformierten Bistümer und Klöster an die Katholiken zurückgegeben werden müssen.
Schah (seit 1587) Abbas der Große, der bedeutendste Herrscher der *Safawiden* im Iran, stirbt, nachdem er die neue Hauptstadt Isfahan prachtvoll hat ausbauen lassen.

1630 König (seit 1611) Gustav II. Adolf von Schweden greift zugunsten der Protestanten in den *Dreißigjährigen Krieg* ein.

1631 Mit dem für Frankreich günstigen *Frieden von Cherasco* wird der *Mantuanische Erbfolgekrieg* (seit 1627) beendet.
Gustav II. Adolf siegt im Bunde mit Sachsen über Tilly bei Breitenfeld. Die Stellung der Kaiserlichen in Norddeutschland bricht daraufhin zusammen.

1632 Gustav II. Adolf siegt zwar bei Lützen über Wallenstein, fällt aber in der Schlacht. Auf dem schwedischen Thron folgt ihm seine unmündige Tochter Christina.

1634 Wallenstein wird wegen angeblichen Verrats von kaiserlichen Offizieren ermordet.
Die Schweden werden bei Nördlingen von den Kaiserlichen vernichtend geschlagen, worauf ihre bis dahin stark ausgebaute Stellung in Süddeutschland zusammenbricht.
Die Niederländer erwerben in der Karibik die Inseln Curaçao und Bonaire, 1642 auch Aruba.

1635 Mit dem Verbot für Japaner, ins Ausland zu reisen, beginnt die Politik systematischer Abschließung des Landes nach außen (*sakoku*).
Der Kaiser schließt mit Sachsen einen Sonderfrieden, in dem er auf die Durchführung des Restitutionsedikts verzichtet; ihm schließen sich viele Reichsstände an.

Frankreich tritt offen in den *Dreißigjährigen Krieg* ein und macht sich zum Protektor kleinerer Reichsstände, vor allem im Elsaß.
Frankreich nimmt die Karibikinseln Martinique, Dominica und Guadeloupe in Besitz.

1637 Dem verstorbenen Kaiser Ferdinand II. folgt sein Sohn Ferdinand III. († 1657).

1638 Die Niederländer erobern das portugiesische Fort Elmina an der Goldküste, den wichtigsten Platz für den transatlantischen Sklavenhandel.
Frankreich erwirbt mit St. Louis am Senegal seine erste afrikanische Besitzung.

1639 Die Portugiesen werden aus Japan ausgewiesen; ihre Stelle nehmen seit 1641 die Niederländer ein, denen mit der kleinen Insel Deshima im Hafen von Nagasaki ein fester Platz unter vollständiger Kontrolle der japanischen Behörden zugewiesen wird. Er bleibt bis 1853 der einzige Ort für den Handelsaustausch der Europäer mit Japan.
Die englische Ostindienkompanie erwirbt Madras in Indien.

1640 Unter der neuen Dynastie *Bragança* kann sich Portugal mit englischer Unterstützung wieder aus der Personalunion mit Spanien lösen.

1641 Die Niederländer erobern die wichtige portugiesische Festung und Handelsniederlassung Malakka im heutigen Malaysia.

1642 Mit einem vom König befohlenen Angriff auf London, der von den Puritanern zurückgewiesen wird, beginnt der englische Bürgerkrieg.
Der Niederländer Abel J. Tasman entdeckt die Insel Tasmanien und die Südinsel Neuseelands.

1643 Auf Ludwig XIII. folgt in Frankreich – noch unmündig – Ludwig XIV. Eigentlicher Leiter der Politik wird jedoch zunächst Kardinal Mazarin.

1644 Infolge dramatischer sozialer und ökonomischer Krisen, die wie in Europa wahrscheinlich Folge einer nachhaltigen Klimaverschlechterung gewesen sind, wird in China die *Ming-Dynastie* gestürzt. Chongzhen (= Sizong), seit 1628 letzter Kaiser chinesischer Herkunft überhaupt, begeht Selbstmord. In der Herrschaft folgen ihm die Mandschu unter dem Dynastienamen *Qing*.

1645 In England schlägt die Parlamentsarmee das königliche Aufgebot bei Naseby entscheidend. König Karl I. flieht 1646 nach Schottland.
Im *Frieden von Brömsebro* muß Dänemark-Norwegen den siegreichen

Schweden Jämtland und Halland sowie die Inseln Gotland und Ösel abtreten.

1648 Spanien erkennt die Unabhängigkeit der (nördlichen) Niederlande an.
In Frankreich erhebt sich der Adel gegen den königlichen Absolutismus. Der *Fronde* genannte Aufstand wird bis 1653 niedergeschlagen.
In Münster und Osnabrück werden die Verträge des *Westfälischen Friedens* unterschrieben: Die meisten der protestantischen Reichsstände werden restituiert. Die Pfalz erhält eine neue, die achte Kurstimme. Bayern behält die Oberpfalz und die ihm 1623 übertragene Kurstimme. Brandenburg gewinnt einen beachtlichen Gebietszuwachs. Neben dem *katholischen* und dem *lutherischen* Bekenntnis wird auch das *calvinistische* im Reich zugelassen. Mit dem Erwerb größerer Territorien (u.a. Pommern) wird Schweden wichtiger Reichsstand und Garantiemacht des Friedens. Gemäß dem Willen des Kaisers bleibt Frankreich – obschon ebenfalls Garantiemacht – demgegenüber die Reichsstandschaft verwehrt; es erhält jedoch Territorien und Rechte im Elsaß. Mit dem Westfälischen Frieden scheiden die (nördlichen) Niederlande und die Schweiz endgültig aus dem Reichsverband aus. Die Folgen des damit beendeten *Dreißigjährigen Krieges* sind für Deutschland katastrophal. Die erheblichen Bevölkerungsverluste können mancherorts erst um die Mitte des 18. Jahrhunderts ausgeglichen werden.

1649 König Karl I. von England wird nach einem Schauprozeß hingerichtet. England wird unter der Bezeichnung *Commonwealth* de facto Republik unter der Leitung von Oliver Cromwell (1653 *Lord Protector,* † 1658).

1651 In England wird die *Navigationsakte* erlassen, um den niederländischen Zwischenhandel auszuschalten. Dies führt zu einem ersten Seekrieg zwischen den beiden Konkurrenten, der 1654 im *Frieden von Westminster* auf der Basis des status quo ante beendet wird. Die Niederländer müssen die Navigationsakte freilich anerkennen.

1652 Niederländer gründen als Stützpunkt für den Asienhandel und Keimzelle einer weißen Siedlungskolonie an der Südspitze Afrikas Kapstadt.

1654 Königin Christina von Schweden († 1689) dankt ab und konvertiert im folgenden Jahr zum katholischen Glauben. In Schweden folgt das Haus *Wittelsbach* mit dem Zweig der Pfalzgrafen von Zweibrücken.

1655 England erwirbt die Isla de Santiago als Jamaika und damit seine wichtigste Kolonie in der Karibik.

1658 Schah Jahan (seit 1628), Erbauer des *Taj Mahal* in Agra, wird als Herrscher von Delhi abgesetzt. Sein Sohn und Nachfolger Aurangzeb († 1707), der erobernd fast ganz Indien unter seiner Herrschaft vereinigt, führt das Reich der Großmoguln äußerlich auf den Gipfel der Macht, überspannt freilich auch die Kräfte seines Staates.
Im *Frieden von Roskilde* muß Dänemark seinen alten Festlandbesitz Schonen, Bohuslän und Blekinge an Schweden abtreten.
Im Reich tritt Leopold I. als Kaiser die Nachfolge seines Vaters Ferdinand III. an.

1659 Im *Pyrenäenfrieden* muß Spanien nach neuen militärischen Niederlagen das Roussillon und das Artois an Frankreich abtreten.

1660 Der *Friede von Oliva* beendet den seit 1655 geführten *1. Nordischen Krieg* zwischen Schweden (mit Brandenburg) und Polen (mit Dänemark). Polen muß Livland nördlich der Düna an Schweden abtreten und auf die Lehenshoheit über Preußen verzichten.
Das neugewählte Parlament beschließt in England die Restauration der Monarchie. Karl II. († 1685) kehrt daraufhin aus dem Exil nach London zurück.

1661 Nach dem Tod von Kardinal Mazarin übernimmt König Ludwig XIV. in Frankreich die Regierungsgeschäfte selbst.
England erwirbt Bombay in Indien als Morgengabe einer portugiesischen Prinzessin.

1662 Der *Ming*-General Koxinga vertreibt die Niederländer aus Formosa (Taiwan) und errichtet dort eine eigenständige Herrschaft.

1663 Der in Regensburg tagende Reichstag wird nicht mehr aufgelöst; bis zum Ende des Alten Reiches tagt er von nun an als *Immerwährender Reichstag* in Permanenz.
Die Verwaltung des französischen Kolonialbesitzes in Nordamerika geht auf den Staat über.

1665 In Dänemark wird die *Lex Regia,* das Königsgesetz, als einzige geschriebene Verfassungsurkunde des europäischen Absolutismus verkündet.

1666 In Marokko gelangt die bis heute regierende Dynastie der Alawiten zur Macht, die ihren Höhepunkt unter Moulay Ismail (1672–1727) erlebt.

1667 Im *Waffenstillstand von Andrussowo* wird die Ukraine zwischen Polen und Rußland geteilt. Kiew und Smolensk fallen an Rußland.
Mit dem *Kompromißfrieden von Breda* endet der seit 1664 andauernde *2. Niederländisch-Englische Seekrieg*: Die Engländer verzichten auf ihren letzten Stützpunkt im Malaiischen Archipel, die *Generalstaaten* auf ihren

gesamten nordamerikanischen Besitz (u.a. Neu-Amsterdam, seit 1664 als *New York* englisch); dafür erhalten sie jedoch endgültig Surinam.

1668 Mit dem *Frieden von Aachen* wird der von Ludwig XIV. im Vorjahr angezettelte *Devolutionskrieg* beendet. Frankreich erwirbt darin Städte und Festungen in den südlichen (spanischen) Niederlanden, u.a. Lille und Valenciennes.

1669 Die Türken erobern Candia (Iraklion) und beherrschen fortan die bis dahin venezianische Insel Kreta vollständig.

1670 Für den Pelzhandel nördlich der Großen Seen in Nordamerika wird in England die *Hudson's Bay Company* gegründet.

1672 Mit einem englischen Angriff auf die Niederlande beginnt der *3. Niederländisch-Englische Seekrieg* und der *Holländische Krieg,* in dem die französischen Truppen in den Niederlanden zunächst rasch vorankommen.

1674 Der *3. niederländisch-englische Seekrieg* wird mit dem *2. Frieden von Westminster* auf der Basis des status quo ante beendet. England scheidet damit aus dem Krieg gegen die Niederlande aus.

1675 Friedrich Wilhelm I., der *Große Kurfürst* von Brandenburg (1640 bis 1688), schlägt die im Bunde mit Frankreich stehenden Schweden bei Fehrbellin. Im folgenden *Frieden von St. Germain-en-Laye* (1679) erwächst ihm daraus jedoch kein nennenswerter Vorteil.

1678/79 Mit den *Friedensschlüssen vom Nimwegen* (Nijmegen) wird der *Holländische Krieg* beendet. Die Niederlande behaupten sich. Spanien muß jedoch die Franche Comté, der Kaiser Freiburg im Breisgau an Ludwig XIV. abtreten.

1679 Das englische Parlament verabschiedet die *Habeas-Corpus-Akte,* derzufolge ein Beschuldigter ohne richterlichen Entscheid nur begrenzt in Haft gehalten werden darf.

1681 Karl II. von England verleiht Pennsylvania als Eigentümerkolonie an den *Quäker* William Penn, der dort 1683 Philadelphia gründet.
Ludwig XIV. annektiert Straßburg.

1682 Die Niederländer besiegen das mächtige islamische Reich *Mataram* auf Java und machen es zum Vasallen.
Der Große Kurfürst privilegiert eine brandenburgische Handelskompanie für den Handel in Westafrika, wo im Folgejahr an der Goldküste die Festung *Groß-Friedrichsburg* entsteht (1721 an die Niederländer verkauft).

1683 Nach ihrer Niederlage am Kahlenberg müssen die Türken die zweite Belagerung Wiens abbrechen und sich zurückziehen.

1684 Taiwan wird als Präfektur der Provinz Fujian dem chinesischen Kaiserreich einverleibt. Die Insel erlangt den Provinzstatus selbst erst 1885/86 – kurz bevor sie an Japan abgetreten werden muß.

1685 Ludwig XIV. widerruft mit dem *Edikt von Fontainebleau* das *Edikt von Nantes* und treibt damit viele Hugenotten in die Emigration – für Frankreich vor allem ökonomisch ein schwerer Aderlaß.

1687 In der zweiten Schlacht bei Mohács siegen die Kaiserlichen über das osmanische Aufgebot. Ein großer Teil Ungarns wird von türkischer Herrschaft befreit.
Hue wird anstelle von Hanoi (seit 1593) vietnamesische Hauptresidenz.

1688 In der *Glorious Revolution* wird der katholische König (seit 1685) Jakob II. von England und Schottland gestürzt. An seiner Stelle besteigt 1689 sein Schwiegersohn, der holländische Statthalter Wilhelm III. († 1702), den Thron.
Mit dem Vordringen französischer Truppen über den Rhein zur Wahrnehmung vorgeblicher Erbansprüche in der Pfalz beginnt der *Pfälzische Erbfolgekrieg,* in dem u.a. Heidelberg 1689 und 1693 zerstört wird.

1689 Kaiser Kangxi (= Shengzu) von China (1661–1722) schließt zu Nercinsk in Sibirien den ersten Vertrag mit einer europäischen Macht: Rußland erkennt darin die Zugehörigkeit des gesamten Amurgebiets zu China an. 1691 unterstellen sich die Mongolen endgültig chinesischer Oberhoheit.
Kaiser Leopold I., England, die Niederlande und Spanien verbinden sich zur *Großen Allianz* gegen Ludwig XIV. von Frankreich, um das Gleichgewicht der Kräfte (*balance of power*) auf dem Kontinent wiederherzustellen.
Zar (seit 1682) Peter I. der Große stürzt die Regentin und übernimmt die Macht in Rußland selbst.

1691 Markgraf Ludwig Wilhelm von Baden-Baden („*Türkenlouis*") siegt als kaiserlicher Feldherr über die Türken bei Slankamen. Siebenbürgen wird danach wieder mit dem habsburgischen Ungarn vereinigt.

1692 Kaiser Leopold I. kreiert für Hannover eine neunte Kurstimme.

1697 Der zuvor heimlich zum Katholizismus konvertierte sächsische Kurfürst (seit 1694) (Friedrich) August der Starke wird als Nachfolger des Türkenbezwingers Johann Sobieski (1674–1496) zum König von Polen gewählt.

Im *Frieden von Rijswijk* muß Frankreich Wilhelm III. als König von England anerkennen und auf fast alle Eroberungen verzichten. Ludwig XIV. tritt Freiburg an den Kaiser ab, behält aber Straßburg auf Dauer. Außerdem erwirbt er endgültig den von ihm schon seit 1665 beanspruchten westlichen Teil der Insel Hispaniola (Haiti), der damals als Herzstück des französischen Kolonialreichs gilt und von großer ökonomischer Bedeutung (Zuckerrohr) ist.
Die Spanier vernichten den letzten Staat der *Maya* in Mittelamerika.

1699 Im *Frieden von Karlowitz* tritt das Osmanische Reich endgültig ganz Ungarn (ohne das Gebiet von Temesvár) an den Kaiser ab.

1700 Mit einem Überfall sächsischer Truppen auf Riga beginnt der 2. (Große) *Nordische Krieg*, der bis 1721 andauert und den Zusammenbruch Schwedens als Großmacht herbeiführt. Rußland und Polen-Sachsen stehen darin als Verbündete gegen Schweden.
Beim Tod des letzten spanischen Habsburgers ist die Nachfolge ungeklärt. Während die Königin die Kandidatur des zweiten Kaisersohnes Karl (III.) – also eines *Habsburgers* – propagiert, ist im Testament des Königs der *Bourbone* Philipp (V.), ein Enkel Ludwigs XIV., zum Universalerben eingesetzt worden.

Das achtzehnte Jahrhundert

1701 Kurfürst (seit 1688) Friedrich III. von Brandenburg krönt sich – außerhalb des Reiches – in Königsberg zum König Friedrich I. *in* Preußen.
Der Kaiser, England und die Niederlande verbünden sich gegen Ludwig XIV. und seinen spanischen Prätendenten. Damit beginnt der *Spanische Erbfolgekrieg*, der auch in Übersee ausgefochten wird.

1703 Zar Peter der Große gründet Sankt Peter(s)burg, das anstelle Moskaus 1712 zur neuen Hauptstadt Rußlands erhoben wird.
Der zweite Sohn des Kaisers wird als Karl (III.) zum König von Spanien ausgerufen. Anerkennung findet er vorläufig aber nur in Katalonien.

1704 Der österreichische Feldherr Prinz Eugen und sein englischer Partner, der Herzog von Marlborough, siegen bei Höchstädt an der Donau (englisch: *Blenheim*) über die verbündeten Franzosen und Bayern.
Die Engländer erobern Gibraltar an der Südspitze Spaniens.

1705 Kaiser Leopold I. stirbt; im Reich wie in den Erblanden folgt ihm sein Sohn Joseph I.

1706 Der Herzog von Marlborough besiegt die Franzosen bei Ramillies in den südlichen Niederlanden, Prinz Eugen bei Turin in Oberitalien. Derweil kann sich Karl (III.) in Spanien durchsetzen.

1707 England und Schottland werden in einer *Realunion* zum *Vereinigten Königreich von Großbritannien* zusammengeschlossen.

1708 Prinz Eugen und der Herzog von Marlborough siegen bei Oudenaarde in Flandern über die Franzosen.

1709 In der Schlacht bei Poltawa wird der schwedische König Karl XII. von den Truppen des Zaren vernichtend geschlagen. Der Feldherrnkönig kann sich nur durch Flucht in die Türkei retten.
Nach einem neuen Sieg der Verbündeten bei Malplaquet in den südlichen Niederlanden steht Frankreich am Rande des Zusammenbruchs.

1711 Kaiser Joseph I. stirbt überraschend; Erbe ist als Karl VI. der habsburgische Prätendent auf den spanischen Thron Karl (III.). Da unter ihm die Vereinigung der österreichischen Erblande mit dem spanischen Imperium droht, stellt Großbritannien den Kampf gegen Ludwig XIV. ein.

1713 Im *Frieden von Utrecht* wird der *Bourbone* Philipp V. als König von Spanien anerkannt; die Briten behalten aber Gibraltar und Menorca und erwerben zudem das Monopol für den Sklavenhandel mit den spanischen Kolonien.
Kaiser Karl VI. erläßt die *Pragmatische Sanktion*. Darin wird die Unteilbarkeit der habsburgischen Erblande und das alleinige Erbrecht der Kinder des Kaisers – auch in weiblicher Linie – fixiert.

1714 Im *Frieden von Rastatt* zwischen Ludwig XIV. und Kaiser Karl VI. gewinnt letzterer den italienischen und niederländischen Besitz aus dem spanischen Erbe.
Königin (seit 1702) Anna, die letzte *Stewart* auf dem englischen Thron, stirbt; ihr folgt gemäß dem *Act of Settlement* von 1701 mit Georg I. Ludwig das *Haus Hannover*.

1715 König Ludwig XIV. von Frankreich stirbt; auf dem Thron folgt ihm sein Urenkel Ludwig XV. – bis 1723 unter einer vormundschaftlichen Regentschaft durch den Herzog von Orléans.

1717 Prinz Eugen erobert Belgrad von den Türken.
Im Nordwesten Südamerikas richtet die spanische Kolonialverwaltung ein eigenes Vizekönigreich *Neu-Granada* mit der Hauptstadt Bogotá ein (endgültig 1739).

1718 Im *Frieden von Passarowitz* tritt das Osmanische Reich Teile Serbiens, Bosniens und der Walachei sowie das später Banat genannte Gebiet von Temesvár an das Haus Österreich ab.
Karl XII. von Schweden wird bei der Belagerung einer norwegischen Festung getötet. Danach geht die Macht auf die Stände über; es beginnt Schwedens *Freiheitszeit* (1720).
Die Franzosen gründen die später New Orleans benannte Stadt an der Mündung des Mississippi.

1719/20 In zwei zu Stockholm abgeschlossenen Friedensverträgen verzichtet Schweden auf die Herzogtümer Bremen und Verden zugunsten Hannovers und auf Teile Vorpommerns (mit Stettin) zugunsten Brandenburg-Preußens.

1720 Kaiser Karl V. verzichtet auf Sardinien zugunsten des *Hauses Savoyen* und erhält dafür Sizilien.

1721 Im *Frieden zu Nystad* endet der *Große Nordische Krieg*. Schweden muß Livland, Estland, Ingermanland und einen Teil Kareliens an Rußland abtreten, behält aber Finnland.
Zar Peter der Große († 1725) nimmt den Titel eines *Allrussischen Kaisers* an.

1723 Friedrich Wilhelm I. (1713–1740) in Preußen, der *„Soldatenkönig"*, gründet das *Generaldirektorium* als oberste Zentralbehörde seiner Länder.

1731 Im Herzogtum Parma und Piacenza erlischt das Haus *Farnese* (seit 1545). Mit englischer Unterstützung setzen die spanischen *Bourbonen* hier ihren Erbanspruch gegen den Kaiser durch.

1733 Nach dem Tod Augusts des Starken kommt es in Polen zum Thronstreit zwischen dem Kandidaten Frankreichs Stanislaus Leszczyński und dem von Österreich und Rußland unterstützten Sohn Augusts, der in den *Polnischen Thronfolgekrieg* mündet.

1735 Im *Präliminarfrieden von Wien* wird der sächsische *Wettiner* (Friedrich) August III. als polnischer König anerkannt. Stanislaus Leszczyński wird mit dem Herzogtum Lothringen abgefunden. Kaiser Karl VI. verzichtet zugunsten der *Bourbonen* auf Neapel und Sizilien, erhält dafür aber Parma und Piacenza sowie für seinen künftigen Schwiegersohn Franz Stephan im Austausch mit Lothringen das Recht auf die Erbfolge in der Toskana, das 1737 beim Aussterben der *Medici* wirksam wird.

1736 Nadir Schah aus dem Geschlecht der *Afschariden*, läßt den letzten Safawidenherrscher entthronen und wird selbst Schah des Iran (bis 1747).

1739 Nadir Schah erobert und plündert Delhi. Das Reich der Großmoguln ist danach stark geschwächt.
Im *Frieden von Belgrad* muß Österreich nach militärischen Mißerfolgen den Westteil der Walachei und den nördlichen Teil Serbiens mit Belgrad wieder an das Osmanische Reich abtreten.

1740 In Brandenburg-Preußen folgt auf Friedrich Wilhelm I. dessen Sohn Friedrich II. (der Große).
Kaiser Karl VI. stirbt; in den Erblanden folgt ihm gemäß der *Pragmatischen Sanktion* seine Tochter Maria Theresia.
Der Preußenkönig Friedrich II. nutzt den Erbfall in Österreich und rückt ohne gültigen Rechtsgrund in Schlesien ein.

1741 Der dänische Asienforscher Vitus Bering erreicht in russischem Auftrag die Küsten Alaskas.
Eine Palastrevolution bringt in St.Peter(s)burg Elisabeth, die Tochter Peters des Großen, auf den Thron.

1742 Der bayerische Kurfürst (seit 1726) Karl Albrecht, der Maria Theresias Erbanspruch auch in den Erblanden bestreitet, wird als Karl VII. zum Kaiser gewählt.
Maria Theresia tritt im *Frieden von Berlin* den größten Teil Schlesiens an Friedrich II. in Preußen ab.

1745 Nach dem Tod des wittelsbachischen Kaisers wird mit Billigung des Preußenkönigs, der dafür im Besitz Schlesiens bestätigt wird, Franz Stephan, der Gemahl Maria Theresias, als Franz I. zum Kaiser gewählt.

1747 Ahmed Schah *Durrani* († 1773) begründet das *Emirat* Afghanistan, das im 19. Jahrhundert unter konkurrierendem russischen und britischen Einfluß steht und erst 1926 zum Königreich erhoben wird.

1748 Im *Frieden von Aachen* wird der seit 1740 andauernde *Österreichische Erbfolgekrieg* mit der allgemeinen Anerkennung Maria Theresias beendet. Das Haus *Habsburg* muß nur auf Parma und Piacenza verzichten.

1752 König Alaungpaya, Ahnherr der *Konbaung-Dynastie*, gründet das vierte Birmanische Reich mit der Hauptstadt Yongon (= Rangoon). Es entwickelt gewaltige Expansivkräfte.

1756 Mit der *Westminster-Konvention* schließen Großbritannien, das in scharfem kolonialen Wettbewerb mit Frankreich steht, und Preußen ein Bündnis. Als Reaktion darauf wechselt Frankreich seinen Bündnispartner im Reich und geht mit seinem traditionellen Gegner, dem *Hause Habsburg*, zunächst ein Defensiv-, 1757 schließlich ein Offensivbündnis ein. Die Um-

kehrung der Bündnisse in Europa gilt als *Diplomatische Revolution* des 18. Jahrhunderts.
Mit einem Präventivschlag gegen Sachsen eröffnet Friedrich der Große den Siebenjährigen Krieg.

1757 Rußland tritt der französisch-österreichischen Allianz gegen Preußen bei.
Die Briten unter Robert Clive besiegen den Nawab von Bengalen bei Plassey und steigen damit zur unumstritten stärksten Macht in Indien auf.
Friedrich der Große erringt Siege über die Franzosen (bei Roßbach) und die Österreicher (bei Leuthen).

1758 Friedrich der Große, der von Großbritannien finanziell massiv gestützt wird, erleidet bei Hochkirch im Kampf mit den Österreichern eine schwere Niederlage. Im Folgejahr gerät er nach einer neuen Niederlage durch Russen und Österreicher bei Kunersdorf an den Rand der Vernichtung.
Der Schweizer Emer de Vattel führt das Nutzungs- und Kultivierungsargument in das Völkerrecht ein. Es dient den Europäern im 19. Jahrhundert als Begründung, sich mit Ausnahme größerer Teile Asiens die ganze Erde untertan zu machen.

1759 Die Briten erobern Quebec, 1760 fällt auch Montreal. Frankreichs Position in Nordamerika ist vernichtet.

1762 Nach dem Tod der russischen Kaiserin Elisabeth besteigt deren Neffe Peter III. aus dem Hause *Oldenburg* (Zweig *Holstein-Gottorp*), ein Enkel Friedrichs des Großen, den Thron. Er ruft die russischen Truppen aus dem Siebenjährigen Krieg zurück und schließt mit Preußen einen Sonderfrieden.
Peter III. von Rußland wird von seiner Gemahlin Katharina, einer geborenen Prinzessin von *Anhalt-Zerbst*, zur Abdankung gezwungen. Kurze Zeit darauf gibt diese den Tod ihres Gemahls bekannt und besteigt selbst den Thron.

1763 Preußen und Österreich schließen auf der Basis des territorialen status quo den *Frieden von Hubertusburg*. Damit verliert Österreich Schlesien endgültig, ist Preußen definitiv als neue europäische Großmacht bestätigt. Fortan beherrscht der Dualismus Preußen – Österreich die deutsche Politik.
Der *Frieden von Paris* beendet den *Siebenjährigen Krieg* (in Nordamerika als *French and Indian War* bereits seit 1754) zwischen Großbritannien und Frankreich/Spanien. Frankreich verliert seinen gesamten Kolonialbesitz in Nordamerika (Kanada und Louisiana), Spanien muß Florida an Großbritannien abtreten, gewinnt dafür aber das Gebiet westlich des Mississippi.

In Indien erhalten die Franzosen zwar einige Plätze zurück, müssen den unbedingten Vorrang der Briten dort jedoch anerkennen.
Nach der Verlagerung des wirtschaftlichen Schwergewichts vom Nordosten (Zuckerrohranbau) in den Südosten (Diamanten, Gold) wird der Sitz der portugiesischen Kolonialverwaltung in Brasilien von São Salvador de Bahia nach Rio de Janeiro verlegt.

1764 Nach dem Tod Augusts III. (1763) wird unter russischem Druck Stanislaus Poniatowski zum (letzten) polnischen König gewählt.
Der Engländer James Hargreaves erfindet eine 1770 patentierte Spinnmaschine. Zusammen mit der vom Schotten James Watt 1765 verbesserten Dampfmaschine markiert dies einen Ausgangspunkt für die *industrielle Revolution* zunächst in Großbritannien, später in ganz Europa und Nordamerika. Sie verschafft der europäischen Zivilisation bald einen Vorsprung vor allen anderen der Welt.

1765 Mit dem (bald widerrufenen) *Stamp Act* beginnt die Auseinandersetzung der britischen Regierung mit den europäischen Kolonisten in Nordamerika um deren Beitrag zur Finanzierung des *Empire*. Sie mündet schließlich in der *Amerikanischen Revolution*. Die Kolonialbevölkerung lehnt eine Besteuerung mit dem Hinweis ab, sie sei im britischen Parlament nicht vertreten.

1766 Nach dem Tode von Stanislaus Leszczyński wird Lothringen mit Frankreich vereinigt.

1766–1769 Der Franzose Bougainville umsegelt die Welt auf der Suche nach dem in Europa vermuteten großen Südkontinent (*terra australis*). Er entdeckt dabei u. a. Tahiti.

1767 Birmanische Truppen erobern Siams Hauptstadt Ayutthaya und vernichten damit das zweite Thai-Reich.

1768 Die Republik Genua verkauft die Insel Korsika an Frankreich. Im Jahr darauf kommt dort Napolione Buonaparte zur Welt.
James Cook bricht in britischem Auftrag zu seiner ersten Reise in die Südsee auf (Rückkehr 1771). Er kartographiert erstmals Neuseeland und entdeckt die Südostküste Australiens (1770).

1769 Nepal wird unter den *Gurkha* geeinigt.

1772 Bei der *ersten Teilung Polens* eignen sich Rußland, Österreich und Preußen große Teile des polnisch-litauischen Territoriums an.
König (seit 1771) Gustav III. beendet Schwedens *Freiheitszeit* durch einen Staatsstreich, der ihm unumschränkte Regierungsgewalt verschafft.
James Cook bricht zu seiner zweiten Reise auf (bis 1775).

1773 Im *Vertrag von Zarskoje Selo* verzichtet der russische Thronfolger Paul auf seine Anteile an Holstein, das damit ganz unter der Herrschaft des dänischen Königs vereint wird. Dafür überläßt Dänemark der jüngeren *Gottorper Linie* die Grafschaften Oldenburg und Delmenhorst.
Der Papst hebt auf Druck Spaniens den *Jesuitenorden* auf.
Bei der *Boston Tea Party* vernichten als Indianer verkleidete Neuengländer eine Ladung Tee der britischen Ostindienkompanie.
Mit dem *Regulating Act* übernimmt der britische Staat die Aufsicht über die englische Ostindienkompanie und damit de facto die Herrschaft über Indien.

1774 In Frankreich folgt auf Ludwig XV. dessen Enkel Ludwig XVI. Die Finanzkrise des Staates verschlimmert sich unter seiner Regierung fortlaufend.
Nach jahrelangen militärischen Mißerfolgen muß die *Pforte* (Sitz des Großwesirs in Konstantinopel) im Frieden von *Küçük Kaynarca* mit Rußland auf das Khanat der Krim verzichten. Die Inferiorität des Osmanischen Reiches gegenüber den europäischen Großmächten wird unübersehbar.

1776 Nach jahrelangen Auseinandersetzungen um die Besteuerung der 13 britischen Kolonien in Nordamerika erklären diese in einer von Thomas Jefferson verfaßten feierlichen Deklaration ihre Unabhängigkeit von Großbritannien. Im anschließenden Unabhängigkeitskrieg sind die Amerikaner unter ihrem Befehlshaber George Washington zunächst unterlegen, gewinnen aber mit französischer (seit 1778) und spanischer (seit 1779) Unterstützung bald die Oberhand (1781 Kapitulation der Briten bei Yorktown in Virginia).
Im spanischen Kolonialreich wird ein viertes (und letztes) *Vizekönigreich am Rio de la Plata* mit dem Zentrum Buenos Aires durch Abspaltung vom Vizekönigreich Peru gebildet.
James Cook bricht zu seiner dritten Reise auf, in deren Verlauf er u.a. die Sandwich- (Hawaii-)Inseln entdeckt und 1779 den Tod findet.

1779 Im *Frieden von Teschen* wird der *Bayerische Erbfolgekrieg* (seit 1778) beendet. Österreich gewinnt das Innviertel. Neben Frankreich wird Rußland neue Garantiemacht für die Stabilität der Ordnung im Alten Reich.

1780 Königin Maria Theresia stirbt; in den Erblanden folgt ihr Sohn Kaiser (seit 1765) Joseph II., der hier sofort ein radikales Reformprogramm durchzuführen sucht.

1782 Nach der Vertreibung der Birmaner begründet General Paya Chakkri (als König: Rama I.) das dritte Thai-Reich mit der neuen Hauptstadt Bangkok. Trotz starker europäischer Einflußnahme im 19. Jahrhundert bleibt *Siam,* wie Thailand in dieser Zeit genannt wird, allzeit frei von jeder Kolonialherrschaft.

1783 *Friede von Paris*: Großbritannien erkennt die Unabhängigkeit der Vereinigten Staaten (*USA*) an, deren Westgrenze durch den Mississippi gebildet wird. Zum erstenmal wird ein von (damals etwa drei Millionen) Europäern besiedeltes überseeisches Gebiet selbständig. Für fast eineinhalb Jahrhunderte bildet es künftig das Ziel von Millionen europäischer Emigranten auf der Suche nach Wohlstand und Freiheit.
In den gleichzeitigen *Friedensschlüssen von Versailles* tritt Großbritannien Tobago und das Senegalgebiet an Frankreich sowie Florida und Menorca an Spanien ab.
In Großbritannien wird William Pitt der Jüngere zum Premierminister berufen. Er führt die Regierung mit nur kurzer Unterbrechung bis zu seinem Tode 1806.

1786 König Friedrich II. der Große von Preußen stirbt unbetrauert; ihm folgt seine Neffe Friedrich Wilhelm II.
Die Briten erwerben die Insel Penang (Georgetown) an der Straße von Malakka als erste ihrer *Straits Settlements.*

1787 In Großbritannien wird eine Gesellschaft zur Abschaffung des Sklavenhandels gegründet; ihr ist aber zunächst nur wenig Erfolg beschieden.
Die Briten gründen Freetown in Sierra Leone zur Ansiedlung freigelassener Sklaven.

1788 Britische Schiffe landen mit 700 Strafgefangenen an der Südostküste Australiens, wo die neue Kolonie *New South Wales* begründet wird. Ohne die Rechte der indigenen Bevölkerung (*Aborigines*) überhaupt zu beachten, entsteht hier eine weitere europäische Siedlungskolonie, in die bis 1853 mehr als 160000 Strafgefangene verschickt werden. Seit 1793 gelangen auch freie Einwanderer nach Australien.
In den USA tritt die neue demokratische Verfassung in Kraft (1792 ergänzt um die *Bill of Rights,* in der die wesentlichen Menschen- und Bürgerrechte festgehalten sind); 1789 wird George Washington erster Präsident der jungen Republik (bis 1797).

1789 In Versailles treten die französischen *Generalstände* erstmals seit 1614 zusammen, um Lösungen für die Krise der Staatsfinanzen zu finden. Der (bürgerliche) *Dritte Stand* ist dabei mit doppelter Kopfzahl vertreten. Als eine Einigung über den Abstimmungsmodus nicht zustande kommt, erklärt sich dieser Stand zur *Nationalversammlung,* später zur *Verfassunggebenden Versammlung.*

Derweil stürmen die Pariser Volksmassen am 14. Juli die *Bastille*, das alte Pariser Stadtgefängnis, was am Hof einen nachhaltigen Eindruck hinterläßt. Der Tag wird später zum französischen Nationalfeiertag erklärt. Kurze Zeit darauf deklariert die Verfassunggebende Versammlung die Abschaffung des Feudalsystems und beschließt eine Erklärung über die Menschen- und Bürgerrechte. Als der König sich weigert, diese Beschlüsse anzuerkennen, wird er zum Umzug von Versailles nach Paris gezwungen.

1790 Kaiser Joseph II. stirbt; in den Erblanden wie im Reich folgt ihm sein Bruder (Peter) Leopold II., Großherzog der Toskana.
Die französische Verfassunggebende Versammlung verfügt die Zivilverfassung des Klerus, eine rationalistische Neugliederung Frankreichs in 83 *Départements* und die Ausgabe von Papiergeld.

1791 König Ludwig XVI. von Frankreich flieht, wird aber auf der Flucht erkannt und nach Paris zurückgebracht.
In Saint Domingue (Haiti) erheben sich die schwarzen Sklaven unter Toussaint-L'Ouverture (1794–1802 faktisch Herrscher auf der Insel) gegen die französische Kolonialherrschaft und die Ausbeutung durch die kreolische Oberschicht.
Kaiser Leopold II. und König Friedrich Wilhelm II. von Preußen drohen in der *Konvention von Pillnitz* mit einer Intervention zugunsten des französischen Königs.
In Frankreich tritt eine konstitutionelle Verfassung in Kraft, die der König beeidet. Wenig später tritt die neu gewählte Legislative zusammen.

1792 Im *Frieden von Jassy* muß die Pforte das Gebiet zwischen Bug und Dnjestr an Rußland abtreten.
Kaiser Leopold II. stirbt; in den Erblanden wie im Reich folgt ihm sein Sohn Franz II. als letzter Kaiser des Heiligen Römischen Reiches.
Auf den autokratisch regierenden König Gustav III. von Schweden wird bei einem Maskenball in der Oper ein Attentat verübt, dem er wenig später erliegt.
Das revolutionäre Frankreich erklärt Preußen und Österreich den Krieg (*1. Koalitionskrieg* bis 1797).
Die nach Frankreich eingerückten Alliierten werden durch die *Kanonade von Valmy* in der Champagne zum Rückzug gezwungen. Bei der französischen Gegenoffensive erobert General Custine Speyer und Mainz.
Der französische *Konvent* erklärt Frankreich zur Republik und eröffnet den Prozeß gegen den König.

1793 In Frankreich wird König Ludwig XVI. hingerichtet; seine Gemahlin Marie Antoinette folgt ihm wenige Monate später auf die *Guillotine*.
In einem Vertrag beschließen Rußland und Preußen die *zweite Teilung Polens*: Rußland gewinnt den Osten zwischen Düna und Dnjestr, Preußen den gesamten Südwesten sowie die Städte Danzig und Thorn.

Die Französische Republik erklärt Großbritannien, den Niederlanden und Spanien den Krieg.
In Frankreich werden antirevolutionäre Aufstände (u. a. in der Vendée) niedergeschlagen, die gemäßigten Kräfte (*Girondisten*) ausgeschaltet, eine Massenaushebung verfügt und eine neue radikaldemokratische Verfassung beschlossen, die freilich nie in Kraft tritt. Derweil übernimmt der *Wohlfahrtsausschuß* des Konvents de facto die Aufgaben einer Regierung. Seine beherrschende Figur ist Maximilien de Robespierre.

1794 Robespierre läßt seine einstigen Mitstreiter Hébert und Danton hinrichten und errichtet in Frankreich ein Terrorregime. Tausende werden hingerichtet. Als schließlich jeder um sein Leben bangen muß, wird Robespierre selbst gestürzt und mit seinen Anhängern hingerichtet. Wenige Monate später wird der *Jakobinerklub*, die Zentrale der Radikalen, geschlossen.
In Preußen tritt das *Allgemeine Landrecht* in Kraft.
Französische Truppen erobern das gesamte linke Rheinufer.

1795 Kaiser (seit 1736) Qianlong (= Gaozong) dankt ab († 1799). Unter ihm hat China seine größte territoriale Ausdehnung erreicht und ein beispielloses Wachstum von Bevölkerung und Wirtschaft erlebt, so daß es noch im ausgehenden 18. Jahrhundert als stärkste Macht der Erde gelten darf.
Nach einem nationalen Aufstand teilen Rußland, Österreich und Preußen in der *dritten Teilung Polens* das Land, das damit von der europäischen Landkarte völlig verschwindet, ganz unter sich auf. Rußland erwirbt den Osten, Österreich Kleinpolen mit Krakau und Lublin, Preußen den Kern mit Warschau.
Frankreich annektiert die Österreichischen Niederlande und errichtet in den (nördlichen) Niederlanden einen Satellitenstaat, die *Batavische Republik*. Großbritannien übernimmt danach fast den gesamten niederländischen Kolonialbesitz – so Kapstadt, Ceylon und Malakka.
Preußen und Spanien schließen einen Sonderfrieden mit Frankreich. Preußen verzichtet auf seine Besitzungen links des Rheins, Spanien auf seinen Anteil an der Insel Hispaniola.
In Frankreich wird gemäß einer neu verkündeten Verfassung ein fünfköpfiges *Direktorium* gewählt, womit die radikale Phase der Revolution endgültig zu Ende geht.
Der Schotte Mungo Park dringt bis 1797 entlang des Gambia als erster Europäer in das Innere Afrikas vor.

1796 Der junge General Napoléon Bonaparte übernimmt den Oberbefehl über die französischen Truppen in Oberitalien, das er bis 1797 vollständig erobert.
Aga Mohammed († 1797) läßt sich zum *Schah-in-Schah* krönen; er macht Teheran zur Hauptstadt des Iran und begründet die *Kadjaren-Dynastie*.

Spanien tritt an der Seite Frankreichs in der Koalitionskrieg ein.
Kaiserin Katharina II. die Große von Rußland stirbt; auf dem Thron folgt ihr Sohn Paul.

1797 Auf Druck Frankreichs wird der letzte *Doge* von Venedig abgesetzt. Damit endet die älteste (Adels-)Republik Europas.
Mit der *Cisalpinischen* und der *Ligurischen Republik* werden in Oberitalien weitere Satellitenstaaten Frankreichs begründet.
Mit dem *Frieden von Campo Formio,* in dem Österreich auf das gesamte linke Rheinufer verzichtet und dafür mit dem Gebiet der Republik Venedig entschädigt wird, endet der 1. Koalitionskrieg.
In Preußen folgt Friedrich Wilhelm III. seinem Vater Friedrich Wilhelm II. auf dem Thron.

1798 Französische Truppen erobern Rom und Bern; hier entstehen jeweils neue Satellitenstaaten Frankreichs: die *Römische* und die *Helvetische Republik.*
Napoléon Bonaparte erobert Malta und im Anschluß Ägypten. Er siegt unter den Pyramiden über die *Mameluken,* seine Flotte wird indes von den Briten unter Admiral Nelson bei Abukir vernichtet.
Großbritannien, Rußland, Österreich, Portugal, Neapel und die Türkei verbünden sich im *2. Koalitionskrieg* gegen Frankreich.

1799 Die Franzosen errichten in der Toskana und im festländischen Teil des Königreichs Neapel (*Parthenopäische Republik*) weitere Satellitenstaaten. Damit beherrschen sie ganz Italien – freilich ohne die großen Inseln.
Napoléon Bonaparte kehrt aus Ägypten zurück und stürzt in Frankreich das Direktorium, um selbst als *Erster Konsul* die Leitung des Staates an der Spitze eines dreiköpfigen Gremiums zu übernehmen.

1800 Britische Verbände vertreiben die Franzosen von der Insel Malta und nehmen sie auf Dauer in Besitz.
Im *Geheimvertrag von San Ildefonso* überläßt Spanien das Gebiet westlich des Mississippi (*Louisiana*) den Franzosen.
Großbritannien wird mit Irland in einer Union vereinigt (inkraftgetreten 1801).

Das neunzehnte Jahrhundert

1801 Im *Frieden von Lunéville* wird der Rhein seitens des Reiches endgültig als Grenze zu Frankreich anerkannt.
In Rußland folgt auf Kaiser Paul, der einem Attentat zum Opfer fällt, Alexander I.

1802 Großbritannien schließt mit Frankreich in Beendigung des *2. Koalitionskriegs* den *Frieden von Amiens* faktisch auf der Basis des status quo ante.
Napoléon Bonaparte wird *Konsul auf Lebenszeit.*

1803 Im *Reichsdeputationshauptschluß* werden zur Entschädigung der linksrheinisch depossedierten weltlichen Fürsten die geistlichen Territorien im Reich mit wenigen Ausnahmen säkularisiert und die meisten Reichsstädte mediatisiert.
Napoleon verkauft das riesige *Louisiana*-Gebiet westlich des Mississippi für 27,3 Millionen Dollar an die USA.
Großbritannien und Frankreich nehmen den Krieg gegeneinander wieder auf. Französische Truppen besetzen Hannover, das in Personalunion mit Großbritannien verbunden ist, und verletzen damit die im *Sonderfrieden von Basel* 1795 fixierte Neutralität Norddeutschlands.

1804 Nach einem gescheiterten Versuch Napoleons, Frankreichs Herrschaft auf Hispaniola wiederherzustellen (1802/03), wird Haiti als zweiter Staat auf dem amerikanischen Kontinent unabhängig, zunächst als Kaiserreich (bis 1806 sowie 1849–1859), danach als Republik (1806–1811, 1820–1849 sowie seit 1859) und zeitweise auch als Königreich (1811 bis 1820).
In Frankreich tritt der *Code civil* in Kraft; er übt einen starken Einfluß auf die Gesetzgebung in vielen Staaten des Kontinents aus.
Napoléon Bonaparte nimmt als Napoleon I. den Titel eines *Kaisers der Franzosen* an.
Kaiser Franz II. nimmt nach dem Vorbild Napoleons als Franz I. den Titel eines erblichen *Kaisers von Österreich* an.
In Serbien beginnt der Freiheitskampf gegen die osmanische Herrschaft.

1805 Napoleon I. krönt sich auch zum König von Italien.
Großbritannien, Rußland und Österreich verbünden sich im *3. Koalitionskrieg* gegen Napoleon zu einer Tripelallianz.
Mit dem Sieg über die französisch-spanische Flotte am Kap Trafalgar sichert Admiral Nelson die britische Herrschaft zur See endgültig.
Demgegenüber erringt Napoleon zu Lande in der *Dreikaiserschlacht* bei Austerlitz seinen glänzendsten Sieg über die verbündeten Österreicher und Russen. Im anschließenden *Frieden von Preßburg* muß Österreich auf sämtliche Gebiete in Italien und im Südwesten des Reiches verzichten.

1806 Napoleon macht seinen Bruder Joseph zum König von Neapel, seinen Bruder Louis zum König von Holland.
Napoleon begründet den seinem Protektorat unterstehenden *Rheinbund,* dem neben kleineren Gliedern des Reiches die von ihm stark vergrößerten

deutschen Mittelstaaten (u.a. Bayern, Württemberg, Baden, Hessen-Darmstadt) angehören.
Kaiser Franz II. entsagt als Reaktion auf den *Rheinbund* der römisch-deutschen Kaiserwürde, die damit nach mehr als 1000 Jahren erlischt.
Im 4. *Koalitionskrieg* unterliegt Preußen Napoleon in der Doppelschlacht bei Jena und Auerstädt. Der Kaiser der Franzosen verkündet anschließend von Berlin aus die *Kontinentalsperre,* die eine Einfuhr britischer Waren auf den Kontinent und die Lieferung von Getreide nach Großbritannien unterbinden soll.

1807 Großbritannien und die USA verbieten den Sklavenhandel und die Einfuhr afrikanischer Sklaven. Es dauert jedoch bis zum Ende des Jahrhunderts, ehe dieses Verbot auf dem Atlantik endgültig und überall durchgesetzt ist.
Im *Frieden von Tilsit* mit Napoleon verliert Preußen seinen gesamten Besitz westlich der Elbe. Kernpolen wird unter Napoleons Protektorat als *Großherzogtum Warschau* staatlich wiederhergestellt.
Napoleon dekretiert die Bildung des *Königreichs Westphalen* mit der Hauptstadt Kassel unter seinem Bruder Jerôme.
Auf Initiative des Freiherrn vom Stein wird in Preußen die Bauernbefreiung verfügt – als erste wichtige Maßnahme der Reformzeit.
Der portugiesische Hof flieht vor Napoleon nach Rio de Janeiro, wo er fortan residiert.

1808 Rußland annektiert das bis dahin zu Schweden gehörende Finnland.
Napoleon entthront die spanischen *Bourbonen* und erhebt seinen Bruder Joseph zum König Spaniens, für den in Neapel Joachim Murat nachrückt.
In Preußen wird die kommunale Selbstverwaltung in einer neuen *Städteordnung* verankert.

1809 Wilhelm v. Humboldt beginnt mit Maßnahmen zur Reform des Bildungswesens in Preußen.
In Schweden wird der französische Marschall Bernadotte zum Thronfolger gewählt. Als König Karl XIV. Gustav besteigt er 1818 tatsächlich den schwedischen Thron.
Trotz eines Erfolges bei Aspern muß Österreich nach einer neuen Niederlage im Kampf gegen Napoleon bei Wagram im *Frieden von Schönbrunn* weitere Gebiete (u.a. Salzburg und das Innviertel an Bayern) abtreten.
Beginn der ersten Agrarreform in der Neuen Welt: Präsident Pétion (1807–1818) läßt in Haiti das Plantagenland parzellieren und an die ehemaligen Sklaven verteilen. Die Landwirtschaft des dichtbevölkerten Staates bleibt in der Folge nur mäßig produktiv.

1810 In Mexiko beginnt die Unabhängigkeitsbewegung unter den Priestern Hidalgo (hingerichtet 1811) und Morelos (hingerichtet 1815) als (freilich völlig gescheiterte) soziale Revolution.
Auch in Neu-Granada (Kolumbien), Venezuela und am Rio de la Plata (Argentinien) setzt die Unabhängigkeitsbewegung ein, ohne sich vorläufig durchzusetzen.
Napoleon annektiert zunächst Holland, später die gesamte deutsche Nordseeküste und sogar Lübeck, um die *Kontinentalsperre* besser durchführen zu können.
In Preußen wird die Gewerbefreiheit verkündet und der Zunftzwang aufgehoben.

1811 In Preußen wird ein *Regulierungsedikt* verkündet, in dem die Ablösung der feudalen Abgaben und Dienste geregelt werden.
Paraguay erklärt seine Unabhängigkeit von Spanien. Es wird bis 1840 von J. G. Rodriguez de Francia, danach bis 1870 von Vater und Sohn Carlos Antonio und Francisco Lopez diktatorisch regiert.

1812 In Preußen wird die Judenemanzipation verkündet.
Spanien erhält eine fortschrittliche Verfassung, deren Anhänger erstmals „*Liberale*" genannt werden. Sie wird schon 1814 wieder aufgehoben.
Der Feldzug Napoleons gegen Rußland, seinen letzten Festlandgegner, scheitert auf ganzer Linie. Mit der *Konvention von Tauroggen* scheidet Preußen daraufhin aus dem Bündnis mit Napoleon aus.

1813 Rußland, Preußen, Großbritannien, Österreich und Schweden schließen ein Bündnis gegen Napoleon; dieser wird in der *Völkerschlacht* bei Leipzig von den alliierten Armeen vernichtend geschlagen. Der *Rheinbund* löst sich daraufhin auf. In der Folge werden einige der napoleonischen Staatsbildungen in der Mitte und im Norden Deutschlands aufgelöst und die dort vertriebenen Dynastien restituiert. Demgegenüber bleiben die von Napoleon geschaffenen Staaten Süddeutschlands erhalten.

1814 In der Neujahrsnacht überschreitet der preußische Marschall Blücher den Rhein bei Kaub; er trägt den Krieg damit nach Frankreich selbst.
Im *Frieden von Kiel* überläßt Dänemark sein Nebenland Norwegen dem schwedischen König.
Nach dem Einzug der Alliierten in Paris dankt Napoleon förmlich ab, um sich auf die ihm zugewiesene Insel Elba zurückzuziehen.
Unter Ludwig XVIII. wird die *Bourbonenherrschaft* in Frankreich, das auf den Gebietsstand von 1792 zurückgeführt wird und eine konstitutionelle Verfassung erhält, restauriert.
Für den *Wiener Kongreß*, an dem außer dem Osmanischen Reich alle europäischen Staaten zur Regelung der Nachkriegsordnung teilnehmen, wird die Geschäftsordnung festgelegt.

In England wird erstmals eine von George Stephenson gebaute Dampflokomotive zum Kohletransport eingesetzt.

1815 Napoleon kehrt überraschend von Elba nach Frankreich zurück. Die auf dem *Wiener Kongreß* versammelten Mächte erneuern daraufhin ihr Bündnis.
Die südlichen Niederlande werden mit den nördlichen zum Königreich – erblich im Hause *Nassau-Oranien* – vereinigt.
Auf dem Wiener Kongreß erfolgt die Unterzeichnung der *Deutschen Bundesakte*. Mit ihr wird der *Deutsche Bund* aus 41 Einzelstaaten begründet. Sein oberstes Gremium ist der Bundestag in Frankfurt unter dem Präsidium Österreichs.
Auf dem Wiener Kongreß wird die *Schlußakte* unterzeichnet: Preußen erhält Posen, Schwedisch-Vorpommern, Teile Sachsens und vor allem große Gebiete im Westen (Rheinland, Westfalen), die wegen ihres Wirtschaftspotentials die spätere strukturelle Überlegenheit der Hohenzollernmonarchie innerhalb des Deutschen Bundes begründen. Österreich muß demgegenüber auf seine alten Positionen am Rhein verzichten, erhält dafür aber die an Bayern einst abgetretenen Gebiete (Tirol, Innviertel) sowie Oberitalien und Teile Polens. Rußland gewinnt Kernpolen als Königreich. Die Vereinigten Niederlande werden in Personalunion mit Luxemburg verbunden. Großbritannien behält die meisten der von ihm während der Koalitionskriege eroberten Kolonien. In Spanien, Sardinien (Savoyen-Piemont), Modena und im Königreich beider Sizilien werden die alten Dynastien restitutiert. Parma und Piacenza fallen an Marie Louise, die Exgattin Napoleons.
Napoleon wird bei Waterloo von den verbündeten Briten (unter Wellington) und Preußen (Blücher) entscheidend geschlagen und dankt daraufhin ein zweites Mal ab. Er wird auf die abgelegene britische Insel St. Helena im Atlantik verbannt, wo er 1821 stirbt.
Frankreich wird in einem neuerlichen Friedensschluß auf die Grenzen von 1790 zurückgeführt und verliert so u.a. Saarbrücken und Landau.
In Großbritannien werden zum Schutz der eigenen Landwirt schaft hohe Importzölle für Getreide festgesetzt.
Die Briten nehmen Kandy, Hauptstadt des singhalesischen Restreichs auf Ceylon, ein. Die Insel untersteht fortan ganz britischer Kolonialverwaltung.

1816 Bayern erhält zum Ausgleich für seine Gebietsverluste gegenüber Österreich die linksrheinische Pfalz.
Die *Vereinigten Staaten am Rio de la Plata* (später: Argentinien) erklaren ihre Unabhängigkeit von Spanien. Der neue Staat wird nachfolgend durch scharfe Konflikte zwischen Unitaristen (Liberalen) und Föderalisten (Konservativen) erschüttert.

1817 Die deutschen Burschenschaften feiern auf der Wartburg ein Fest, auf dem nationale und liberale Forderungen erhoben werden.
Nach einem zweiten Aufstand erlangen die Serben eine eng begrenzte Autonomie innerhalb des Osmanischen Reiches.

1818 Chile wird endgültig von Spanien unabhängig.
Kongreß von Aachen: Frankreich kehrt als gleichberechtigtes Mitglied in das europäische Mächtekonzert zurück. Das System der *Pentarchie,* d.h. der Vorherrschaft von Großbritannien, Rußland, Frankreich, Österreich und Preußen in Europa, ist damit voll ausgebildet.

1819 Nach zehnjährigem Unabhängigkeitskampf wird Neu-Granada als *Großkolumbien* (unter Einschluß von Venezuela, Ecuador und Panama) unabhängig. Erster Präsident ist bis 1830 Simón Bolívar.
Die USA erwerben Florida von Spanien.
Die Briten gründen Singapur als rasch aufstrebende und bald wichtigste ihrer *Straits Settlements.*
Im Deutschen Bundestag werden nach einem politischen Mord die *Karlsbader Beschlüsse* angenommen, die u.a. eine Verschärfung der Zensur und Maßnahmen gegen „revolutionäre Umtriebe" im Gebiet des Deutschen Bundes vorsehen.

1820 *Missouri Compromise* in den USA: Sklaverei wird nördlich einer Linie von 36° 30 N verboten; Missouri wird als sklavenhaltender, Maine als sklavenfreier Staat in die Union aufgenommen. Sektionalismus und latenter Konflikt zwischen Nord und Süd können dadurch aber nicht dauerhaft niedergehalten werden.

1821 Auf dem *Kongreß von Laibach* beschließen die konservativen Mächte Europas (Rußland, Österreich und Preußen) eine bewaffnete Intervention in Neapel und Sardinien-Piemont, wo Aufstände die monarchische Legitimität bedrohen. Die Bewegung des *Risorgimento,* die einen geeinten italienischen Nationalstaat erstrebt, kann dadurch aber nicht dauerhaft erstickt werden.
König Johann VI. von Portugal kehrt von Brasilien nach Lissabon zurück.
Mexiko wird unter Führung der kreolischen Oberschicht zunächst als Kaiserreich von Spanien unabhängig; seit 1824 ist es eine föderative Republik.
Peru erklärt seine Unabhängigkeit, die es jedoch erst nach der spanischen Niederlage bei Ayacucho (1824) und dem Abzug der letzten spanischen Truppen aus dem Hafen von Callao (1826) durchsetzen kann. Erster Präsident ist bis 1829 Simón Bolívar.

1822 Griechenland erklärt seine Unabhängigkeit. Im nachfolgenden Krieg mit der Pforte unterstützt eine breite europäische Öffentlichkeit den Freiheitskampf der Griechen.

Brasilien erklärt seine Unabhängigkeit von Portugal als Kaiserreich unter einem Sproß der portugiesischen Königsdynastie *Bragança.*

1823 Die mittelamerikanischen Staaten lösen sich von Mexiko und bilden eine *Zentralamerikanische Konföderation.*

1824 Großbritannien und die Niederlande einigen sich über die Abgrenzung ihres Kolonialbesitzes in Südostasien. Alle Inseln kehren unter die Herrschaft der Niederlande zurück, die ihrerseits endgültig auf Malakka verzichten.
König Ludwig XVIII. von Frankreich stirbt; ihm folgt sein reaktionärer Bruder Karl X., der den Absolutismus wiederherzustellen bestrebt ist.

1825 Bolivien erklärt seine Unabhängigkeit. Den Spaniern verbleiben von ihrem vormaligen Kolonialbesitz in Amerika nur Cuba, Santo Domingo und Puerto Rico.
Die *Banda Oriental del Uruguay,* die zwischen Argentinien und Brasilien umstritten und fast ausschließlich von Europäern besiedelt ist, erklärt ihre Unabhängigkeit. Sie wird von Brasilien unter englischem Druck erst 1828 anerkannt.
Der russische Kaiser Alexander I. stirbt überraschend; gegen seinen Bruder und Nachfolger Nikolaus I. erhebt sich die Offiziersverschwörung der *Dekabristen,* die jedoch rasch niedergeworfen wird.

1826 In Konstantinopel werden die *Janitscharen* als stärkste Gruppe der Reformgegner im Osmanischen Reich liquidiert.

1827 Eine französisch-britisch-russische Flotte vernichtet die osmanisch-ägyptische Streitmacht bei Navarino und rettet so den griechischen Aufstand.

1828 Shaka, der das Volk der Zulu geformt und in Südafrika einen straff organisierten Militärstaat aufgebaut hat, wird ermordet.

1829 In Großbritannien wird die Emanzipation der Katholiken verfügt.
Im *Frieden von Edirne* erkennt die Pforte die Unabhängigkeit Griechenlands im Grundsatz an. Die rumänischen Fürstentümer unterstehen weiterhin osmanischer Oberhoheit, genießen fortan jedoch auch den Schutz Rußlands.

1830 Ecuador und Venezuela trennen sich von Großkolumbien und werden unabhängig.
Frankreich beginnt mit der Eroberung Algeriens, wo in der Folge eine französische Siedlungskolonie entsteht.

Karl X. wird durch einen Volksaufstand gestürzt; zum Nachfolger als König von Frankreich wird Louis Philippe aus dem Zweig *Orléans* der Bourbonen gewählt. Mit ihm gelangt die Großbourgeoisie zur Macht. Die Pariser *Juli-Revolution* zeitigt Nachwirkungen fast überall in Europa – v.a. in Polen und Italien, aber auch in den Staaten des Deutschen Bundes (u.a. in Braunschweig, Sachsen, Kurhessen).
Ein Nationalkongreß proklamiert die Unabhängigkeit Belgiens (= der südlichen Niederlande) vom Königreich der Niederlande. Sie wird von den fünf Großmächten alsbald anerkannt. Der neue Staat erhält 1831 eine beispielhafte liberale Verfassung und mit Leopold I. (bis 1865) einen König aus dem Hause *Sachsen-Coburg-Saalfeld.* Die belgische Unabhängigkeit (bei bewaffneter, immerwährender Neutralität) wird mit dem *Londoner Schlußprotokoll* von 1839 endgültig fixiert.

1831 Peter I., Kaiser von Brasilien, dankt zugunsten seines Sohnes Peter II. ab, um nach Portugal zurückzukehren und dort den Thronanspruch seiner Tochter durchzusetzen.
Giuseppe Mazzini, Vorkämpfer für die Freiheit und Einheit Italiens, gründet in Marseille den Geheimbund *La Giovane Italia,* den er 1834 mit Freiheitsgruppen aus anderen Ländern zum *Jungen Europa* vereint.

1832 30000 Teilnehmer versammeln sich in der Pfalz zum *Hambacher Fest.* Sie fordern u.a. die Anerkennung der Volkssouveränität, die Einheit Deutschlands und die Einigung Europas in einer Konföderation der Republiken.
In Großbritannien setzt das liberale Kabinett Grey (1830–1834) die erste Parlamentsreform durch; sie sieht eine Reform der Wahlkreiseinteilung und eine Erweiterung des Kreises der Wahlberechtigten vor.

1833 Der *Wittelsbacher* Otto, Sohn König (seit 1825) Ludwigs I. von Bayern, besteigt den griechischen Thron.
In Spanien beginnen die *Karlistenkriege* als Kampf um die Thronfolge; sie enden erst 1839 mit einem Sieg der Anhänger Isabellas II.

1834 Im britischen Kolonialreich wird die Sklaverei aufgehoben. Zum Ersatz der Arbeitskräfte werden in der Folge vor allem indische, aber auch chinesische Kontraktarbeiter angeworben. Größere Bevölkerungsanteile stellen die Inder deshalb noch heute etwa in Guayana, Mauritius, Fiji und Südafrika.
Mit dem *Deutschen Zollverein* wird unter Einschluß Süddeutschlands unter preußischer Führung der größere Teil des *Deutschen Bundes* (freilich ohne Österreich, Hannover und die Hansestädte) zu einem geschlossenen Zollgebiet vereinigt. Die *kleindeutsche Lösung* – die Einigung Deutschlands ohne Österreich – wird dadurch strukturell präformiert.

1835 Auf Kaiser Franz I. von Österreich folgt dessen geistig behinderter Sohn Ferdinand I., unter dem Metternich seine Stellung als leitender Minister (seit 1809) weiter ausbaut.
Die erste Eisenbahnstrecke in Deutschland wird zwischen Nürnberg und Fürth eröffnet.

1836 In Südafrika beginnt der *Große Trek*. Tausende von niederländischen Buren verlassen die britische Kapkolonie nordwärts. Sie gründen 1853 die Südafrikanische Republik (Transvaal) und 1854 den Oranje-Freistaat.
Texas erklärt seine Unabhängigkeit von Mexiko. Erster Präsident (bis 1838 und 1841–1844) ist Sam Houston.

1837 Mit der Thronbesteigung Königin Victorias in Großbritannien endet die Personalunion, die bis dahin mit Hannover bestanden hat.

1838 Costa Rica, Honduras und Nicaragua treten aus der *Zentralamerikanischen Konföderation* aus und werden selbständig, Guatemala folgt 1839. Das zuletzt allein gebliebene El Salvador konstituiert sich erst 1841 als selbständige Republik.
In England wird eine *People's Charter* veröffentlicht, in der u.a. das allgemeine und geheime Männerwahlrecht gefordert wird.

1839 Im Osmanischen Reich werden unter dem Namen *Tanzimat* durchgreifende Reformen nach westlichem Vorbild verkündet.
Die Briten setzen sich in Aden fest und beherrschen damit den Eingang zum Roten Meer.

1840 Großbritannien annektiert die Südinsel Neuseelands aufgrund des Entdeckungsrechts, die Nordinsel aufgrund des mit den indigenen Maori abgeschlossenen *Vertrages von Waitangi*. Auf beiden Inseln entstehen nachfolgend – begleitet von blutigen Konflikten mit den Maori – europäische Siedlungskolonien; dabei wird die dünn besiedelte Südinsel zunächst präferiert.
In Preußen folgt auf den verstorbenen Friedrich Wilhelm III. dessen Sohn Friedrich Wilhelm IV. – der Romantiker auf dem Thron.
Der Sultan von Oman verlegt seine Residenz endgültig nach Sansibar, dem Zentrum des ostafrikanischen Sklavenhandels (bis 1856).

1841 Mit der *2. Londoner Konvention* zwischen den fünf europäischen Großmächten und dem Osmanischen Reich endet die seit 1839 andauernde *orientalische Krise*. Die Meerengen werden für nichttürkische Kriegsschiffe gesperrt. Die Pforte erkennt Mehmet Ali († 1849), der Ägypten schon seit 1805 faktisch regiert, offiziell als dessen Herrscher an.

1842 Mit dem *Vertrag von Nanjing* zwischen Großbritannien und China wird der 1839 aufgeflammte *Opiumkrieg* beendet. Die Briten erhalten Hongkong als Kolonie und den unbeschränkten Zutritt zu fünf Vertragshäfen. Die Inferiorität Chinas gegenüber den westlichen Industriestaaten wird mit diesem ersten der „ungleichen Verträge", dem weitere mit Frankreich (1844), den USA (1844) und Rußland (1858) folgen, bereits deutlich.

1844 Nach längerer Zwangsvereinigung mit Haiti wird der Osten der Insel Hispaniola als Dominikanische Republik unabhängig.
In Schlesien wird eine Erhebung der völlig verarmten Weber blutig unterdrückt.

1846 Die Annexion von Texas durch die USA (1845) löst einen Krieg mit Mexiko aus, den die Amerikaner siegreich beenden. Diese erzwingen 1848 im *Frieden von Guadelupe Hidalgo* die Abtretung großer Teile des mexikanischen Territoriums einschließlich Kaliforniens (1850 31. und sklavenfreier Bundesstaat).
Großbritannien und die USA einigen sich auf eine Teilung des *Oregon*-Gebiets entlang des 49. Breitengrads.
In Großbritannien werden die Importrestriktionen für Getreide abgeschafft; als erstes Land der Erde geht England damit zum Prinzip des Freihandels über.

1846/47 Extreme Ernteausfälle bei Getreide und Kartoffeln lösen die letzte Subsistenzkrise in Europa aus. Besonders groß ist die Not in Irland, wo ein Massensterben einsetzt und die Auswanderung nach Amerika gewaltig anschwillt.

1847 In Westafrika wird als erster moderner schwarzafrikanischer Staat die Republik Liberia proklamiert. Freigelassene Sklaven aus den USA, die seit 1821 hier siedeln, beherrschen ihn bis 1980, ehe er in Anarchie versinkt.
In der Schweiz wird der 1845 begründete *Sonderbund* der katholischen Kantone mittels einer Bundesexekution gewaltsam aufgelöst. Im Jahr darauf erhält die Schweiz eine neue liberale Verfassung (revidiert 1874 und 1999).

1848 Mit einem Aufstand in Palermo beginnt das Jahr der Revolution in Europa. Erstes Ergebnis ist eine konstitutionelle Verfassung für das Königreich beider Sizilien.
In Frankreich wird das Bürgerkönigtum gestürzt. Louis Philippe geht ins englische Exil. Als erste Reformmaßnahme wird eine Emanzipation der Sklaven im französischen Kolonialreich (mit Ausnahme Algeriens) proklamiert.

In Deutschland beginnt die Revolution in Baden, um sich bald auf fast alle Bundesglieder auszudehnen. In Wien wird Metternich gestürzt, in Berlin tobt ein Barrikadenkampf, in Bayern dankt König Ludwig I. ab. Hauptziel der Aufständischen ist die Vereinigung Deutschlands in einem Nationalstaat nach westlichen Vorbildern, wobei die *Liberalen* dafür die Staatsform der konstitutionellen Monarchie vorsehen, während die radikalen *Demokraten* eine Republik erstreben.
In Ungarn wird eine nationale Regierung gebildet. In Polen wird demgegenüber die Nationalbewegung rasch niedergeschlagen.
Nach einem Volksaufstand gegen die österreichische Herrschaft in Venedig und Mailand erklärt König Albert von Sardinien-Piemont (1831–1849) Österreich den Krieg.
In der Frankfurter Paulskirche tritt das erste gesamtdeutsche Parlament als *Nationalversammlung* zusammen, um eine Verfassung auszuarbeiten.
Auch Preußen und Österreich, wo die Revolution jeweils schon nach wenigen Monaten niedergeworfen wird, erhalten Volksvertretungen und konstitutionelle Verfassungen nach dem Vorbild der süddeutschen Staaten.
Der österreichische Kaiser Ferdinand I. dankt zugunsten seines Neffen Franz Joseph I. ab.
In Frankreich wird Louis Napoléon, ein Neffe Napoleons, zum Präsidenten der Republik gewählt.

1849 Mit dem Sieg bei Novara über Karl Albert von Sardinien-Piemont stellen die Österreicher ihre Herrschaft über die Lombardei und das Veneto wieder her.
Nach Verabschiedung einer Reichsverfassung bietet die Deutsche Nationalversammlung dem Preußenkönig die (deutsche) Kaiserkrone an. Friedrich Wilhelm IV. lehnt jedoch ab. Der erste Versuch, einen deutschen Nationalstaat zu schaffen, scheitert damit auf ganzer Linie.
In der Pfalz und in Baden, wo die Demokraten für kurze Zeit die Macht erringen, wird die radikale Revolution von preußischen Truppen niedergeworfen.
Das Ende der revolutionären Bewegung in Europa wird durch die Kapitulation der ungarischen Armee vor den russischen Interventionstruppen markiert.
Ein bleibendes Ergebnis zeitigt die Revolution fast überall nur mit der Beseitigung der alten Agrarverfassung.

1850 Der Papst, der Rom schon 1848 hatte verlassen müssen, kehrt dorthin zurück und stellt seine Herrschaft im *Kirchenstaat* wieder her.

1851 Mit einem Staatsstreich übernimmt Louis Napoléon die Macht in Frankreich vollständig. Im Jahr darauf proklamiert er sich zum *Kaiser der Franzosen.*

1853 Mit dem *Gadsden Purchase* – einem weiteren Landgewinn auf Kosten Mexikos – erreichen die USA ihre heutigen Grenzen im Kerngebiet. Mit der Übergabe eines Briefes des amerikanischen Präsidenten an den Shogun durch Commodore Matthew C. Perry beginnt die erzwungene Öffnung Japans gegenüber dem Westen (*Vertrag von Kanagawa* mit den USA 1854).

1854 Großbritannien und Frankreich treten an der Seite des Osmanischen Reiches in den 1853 begonnenen Krieg gegen Rußland ein. Sie landen große Truppenkontingente auf der Halbinsel Krim, wo 1855 nach langer Belagerung die Festung Sewastopol erobert wird.

1855 Kaiser Nikolaus I. von Rußland stirbt; ihm folgt sein ältester Sohn Alexander II.

1856 Mit dem *Frieden von Paris* endet der *Krimkrieg*. Die Integrität des Osmanischen Reiches wird darin garantiert. Russischen Schiffen werden die Meerengen erneut verschlossen.

1857 In Italien wird die *Società nazionale* gegründet. Sie erstrebt eine Einigung Italiens unter der Führung von Sardinien-Piemont, dessen Regierungschef Graf Cavour dabei eine Führungsrolle übernimmt.

1858 Mit dem *India Act* wird die Ostindienkompanie aufgelöst, ihr Besitz von der Krone übernommen. Gleichzeitig wird der (Schatten-)Herrscher von Delhi, der letzte *Großmogul*, abgesetzt. Den Titel einer *Kaiserin von Indien* nimmt 1876/77 die englische Königin Victoria an.
In Preußen übernimmt Wilhelm (König seit 1861) für seinen erkrankten Bruder die Regentschaft. Mit der anschließenden Berufung einer liberalkonservativen Regierung beginnt in Preußen die *Neue Ära*.

1859 Die rumänischen Fürstentümer Walachei und Moldau werden in Personalunion vereinigt.
Im Krieg mit dem von Frankreich unterstützten Sardinien-Piemont erleiden die Österreicher bei Magenta und Solferino schwere Niederlagen. Sie müssen die Lombardei daraufhin an Sardinien-Piemont abtreten (*Friede von Zürich*).
Die Franzosen erobern Saigon; 1862 muß Vietnam seine südlichen Provinzen (*Kotschinchina*) vertraglich an sie abtreten.
In Frankfurt wird nach italienischem Vorbild der *Deutsche Nationalverein* gegründet.

1860 Mit der Unterstützung Frankreichs, das dafür Nizza und Savoyen erhält, vereinigt Sardinien-Piemont die Toskana, die Emilia-Romagna,

Modena sowie Parma und Piacenza mit seinem Territorium. Noch im selben Jahr zieht der sardische König Viktor Emanuel II. siegreich auch in Neapel ein – dort freilich erst nach dem Volkshelden Garibaldi.
Die Provinz Buenos Aires wird nach vorübergehender Unabhängigkeit (seit 1852) wieder mit Argentinien vereinigt. Das Land ist in der Folgezeit ein wichtiges Ziel europäischer Auswanderung – vor allem aus Italien und Spanien.
In den USA wird Abraham Lincoln von der neugegründeten *Republikanischen Partei,* ein erklärter Gegner der Sklaverei, zum Präsidenten gewählt (Amtsantritt 1861). Dies führt noch im selben Jahr zur Sezession South Carolinas.

1861 Der russische Kaiser Alexander II. verkündet die Bauernbefreiung.
In Turin wird das *Königreich Italien* unter Viktor Emanuel II. (bis 1878) proklamiert. Es umfaßt außer dem Latium und dem Veneto ganz Italien.
Elf der fünfzehn sklavenhaltenden (Süd-)Staaten der USA bilden die *Konföderierten Staaten von Amerika.* Die *Union* sucht diese Sezession zu verhindern: Mit der Beschießung von Fort Sumter beginnt ein überaus blutiger und verlustreicher Bürgerkrieg zwischen Nord und Süd.
Spanien nutzt den amerikanischen Bürgerkrieg, um seine Herrschaft auf Hispaniola zu erneuern. Mit dem Ende des Krieges (1865) gewinnt die Dominikanische Republik ihre Unabhängigkeit jedoch zurück.

1862 Die bereits 1861 geeinten Fürstentümer Walachei und Moldau werden zum Einheitsstaat *Rumänien* zusammengeschlossen.
US-Präsident Lincoln verkündet die Befreiung der Sklaven – vorläufig freilich nur im Gebiet der feindlichen *Konföderierten.*
König Wilhelm I. beruft mitten im Verfassungskonflikt mit dem Abgeordnetenhaus um die Heeresreform und das Budgetrecht Otto v. Bismarck zum preußischen Ministerpräsidenten. Er regiert gegen die liberale Kammeropposition zunächst mit Hilfe der *Lückentheorie.*
In Griechenland wird der *Wittelsbacher* Otto gestürzt. Seine Nachfolge als König tritt 1863 ein dänischer Prinz an.

1863 Ein nationaler Aufstand in Polen gegen die russische Herrschaft wird brutal niedergeschlagen.
Frankreich errichtet ein Protektorat über Kambodscha, nachdem der Khmerkönig zur Lösung seiner starken Abhängigkeit von Siam bereits 1854 darum gebeten hatte.
In Genf wird das *Internationale Rote Kreuz* gegründet.

1864 Mit französischer Unterstützung wird der *Habsburger* Maximilian mitten im amerikanischen Bürgerkrieg *Kaiser von Mexiko*; er kann sich dort jedoch nicht auf Dauer durchsetzen und wird bereits 1867 gestürzt und erschossen.

Österreichische und preußische Truppen besiegen Dänemark, das daraufhin im *Frieden von Wien* auf Schleswig, Holstein und Lauenburg verzichten muß.

1865 Nach entscheidenden Niederlagen bei Gettysburg und Vicksburg (1863) kapitulieren die *Konföderierten* endgültig im Appomattox Court House. Mit der Besetzung des Südens durch Unions-Truppen ist die Einheit der USA wiederhergestellt. Die Sklaverei wird mit dem *13. Amendment* zur Verfassung endgültig im Gesamtgebiet abgeschafft.
Abraham Lincoln wird als erster amerikanischer Präsident ermordet.

1866 Der deutsche Dualismus gipfelt im *Deutschen Krieg*: Preußen besiegt Österreich (Schlacht bei Königgrätz) und seine süddeutschen Verbündeten, die daraufhin eine Kehrtwende vollziehen. Der *Deutsche Bund* wird aufgelöst. Preußen einigt den Norden Deutschlands bis zur Mainlinie unter seiner Führung im *Norddeutschen Bund*; darüber hinaus annektiert es Hannover, Kurhessen, Nassau, Frankfurt, Schleswig-Holstein und Lauenburg.
Nach seinem Triumph setzt sich Bismarck mit der *Indemnitätsvorlage* gegen die Opposition im preußischen Abgeordnetenhaus durch und spaltet den deutschen Liberalismus.
Nach der Niederlage muß Österreich zugunsten Italiens auch auf das Veneto verzichten.

1867 Rußland verkauft Alaska an die USA für 7,2 Millionen Dollar.
Kanada wird als erstes weißes *Dominion* faktisch von Großbritannien unabhängig. Der ererbte Konflikt zwischen Anglo- und Frankophonen stellt jedoch die Einheit des Landes anschließend immer wieder in Frage.
Die Verfassung des *Norddeutschen Bundes* tritt in Kraft. An der Spitze seiner Regierung steht Bismarck als *Bundeskanzler*.
In Großbritannien wird der Kreis der Wahlberechtigten durch eine neuerliche Wahlrechtsreform stark vergrößert.
Mit dem *Österreichisch-ungarischen Ausgleich* wird die Habsburger-Monarchie neu organisiert: Österreichische und ungarische Reichshälfte erhalten eigene Regierungen und Parlamente. Gemeinsam sind nur noch Außenpolitik, Verteidigung und Finanzen.

1868 Nach dem Rücktritt des letzten *Tokugawa-Shoguns* (1867) übernimmt Kaiser Meiji-Tenno († 1912) die Macht in Japan. Das Shogunat wird abgeschafft, die Macht des Feudaladels bis 1871/73 gebrochen. Der Kaiser verlegt seine Residenz von Kyoto nach Tokyo.
Mit der Eroberung von Samarkand ist die Einverleibung Zentralasiens in das Russische Reich vorläufig abgeschlossen.
In der letzten bürgerlich-liberalen Revolution in Europa wird die spanische Königin Isabella II. gestürzt.

1869 Der Suezkanal wird als Verbindung zwischen Mittelmeer und Rotem Meer von der französischen Kaiserin Eugénie eröffnet. Der Seeweg nach Indien verkürzt sich dadurch erheblich. Die Masse der Kanalaktien befindet sich in französischem und britischem Besitz.
Mit der Schließung der Lücke zwischen *Central Pacific* und *Union Pacific Railroad* in Utah wird die erste transkontinentale Bahn vom Atlantik zum Pazifik in den USA vollendet.

1870 Auf dem *I. Vatikanischen Konzil* wird das Dogma von der Unfehlbarkeit des Papstes in Fragen der Glaubens- und Sittenlehre verkündet. Der *Kulturkampf* zwischen Liberalen und katholischer Kirche verschärft sich daraufhin überall in Europa.
Paraguay unterliegt einer übermächtigen Koalition aus Brasilien, Argentinien und Uruguay nach einem langen, von ihm selbst provozierten Krieg, in dem es 80% seiner Bevölkerung verliert.
Frankreich erklärt Preußen wegen der möglichen Kandidatur eines (katholischen) *Hohenzollern* für den spanischen Thron den Krieg, in dem es überraschend schnell unterliegt (Schlacht bei Sedan). Napoleon III. muß daraufhin abdanken.
Infolge der französischen Niederlage muß auch der Papst auf seine weltliche Herrschaft über Rom und das Latium verzichten. Seine Gebiete werden dem Königreich Italien eingegliedert. Italien bildet damit zum erstenmal seit byzantinischer Zeit eine politische Einheit. Nach Turin und Florenz wird Rom neue Hauptstadt des Landes.

1871 Im Spiegelsaal des Schlosses von Versailles wird der preußische König Wilhelm I. zum *Deutschen Kaiser* ausgerufen. Damit entsteht aus dem *Norddeutschen Bund* und den vier süddeutschen Staaten Bayern, Württemberg, Baden und Hessen-Darmstadt unter preußischer Hegemonie mit vielhundertjähriger Verspätung gegenüber west- und nordeuropäischen Ländern der erste deutsche Nationalstaat. An der Spitze seiner Regierung steht Bismarck als *Reichskanzler*.
Im *Frieden von Frankfurt* muß Frankreich das Elsaß und das nördliche Lothringen an Deutschland abtreten und eine Kriegsentschädigung bezahlen.
Die französische Regierung läßt den sozialrevolutionären Aufstand der *Pariser Kommune* blutig niederwerfen.

1873 Mit dem *Wiener Börsenkrach* setzt eine Weltwirtschaftskrise ein, die sich als *Große Depression* bis in die neunziger Jahre hinzieht. Die Massenauswanderung aus Europa – v.a. mit dem Ziel USA – erreicht in diesen Jahren ihren absoluten Höhepunkt.
Österreich, Rußland und das Deutsche Reich schließen das *Dreikaiserabkommen*.

1874 Großbritannien nimmt die Fiji-Inseln als Kronkolonie in Besitz. In Spanien wird die Monarchie der *Bourbonen* restauriert.

1875 Mit dem Inkrafttreten mehrerer Verfassungsgesetze entscheidet sich Frankreich endgültig für die republikanische Staatsform (*III. Republik*).
Das Osmanische Reich erklärt den Staatsbankrott und stellt seine Zahlungen an ausländische Gläubiger ein.

1876 Die Indianer erringen am Little Big Horn River in Montana einen letzten Sieg über die US-Kavallerie unter General George A. Custer.
In Bulgarien beginnt ein Aufstand gegen die osmanische Herrschaft; Serbien eröffnet den Krieg gegen die Pforte, in den 1877 auch Rußland eingreift.

1877 Mit dem Rückzug aller Unions-Truppen aus dem Süden endet die *Rekonstruktionsära* (Wiedereingliederung der Südstaaten) in den USA. Lebensbedingungen und politische Rechte der Afroamerikaner verschlechtern sich in der Folge erheblich.
Nach jahrzehntelangem Kesseltreiben durch europäische Siedler erlischt mit dem Leben seines letzten Angehörigen das Volk der Tasmanier.

1878 Nach der Niederlage des Osmanischen Reiches im Kampf mit Rußland und den aufständischen Balkanvölkern werden auf dem maßgeblich von Bismarck geprägten *Berliner Kongreß* Friedensbestimmungen erarbeitet: Rußland gewinnt Kars, Ardahan und den Freihafen Batumi; Montenegro, Serbien und Rumänien werden vom Osmanischen Reich vollkommen unabhängig; Österreich darf Bosnien-Herzegowina besetzen; Griechenland wird nach Norden um Thessalien und einen Teil von Epirus vergrößert; Bulgarien wird als der Pforte tributäres Fürstentum neu begründet; Großbritannien übernimmt die Verwaltung Zyperns, ohne formal dessen Zugehörigkeit zum Osmanischen Reich anzutasten.
Bismarck setzt im deutschen Reichstag das *Gesetz gegen die gemeingefährlichen Bestrebungen der Sozialdemokratie* durch.

1879 Die Zulu erringen bei Isandhlwana einen letzten großen Sieg über die britischen Kolonialtruppen in Südafrika.
In Bulgarien wird eine liberale Verfassung verabschiedet und ein Fürst aus dem Hause *Battenberg* gewählt.
Im deutschen Reichstag wird ein neuer Zolltarif angenommen, der den Übergang zur Schutzzollpolitik im Interesse der Großagrarier und der Schwerindustrie markiert. Er bedeutet gleichzeitig das Ende des Zusammenwirkens zwischen Bismarck und den *Nationalliberalen*.
In Wien unterzeichnen Deutschland und Österreich-Ungarn einen *Zweibund* gegen einen möglichen Angriff Rußlands.

1881 Kaiser Alexander II. von Rußland erliegt einem Bombenattentat.
Rumänien wird Königreich.
Frankreich errichtet ein Protektorat über Tunesien.
Deutschland, Österreich-Ungarn und Rußland schließen den *Dreikaiservertrag,* der sie bei einem Angriff von vierter Seite zu wohlwollender Neutralität verpflichtet. Er wird 1884 verlängert.

1882 Serbien wird Königreich.
Deutschland, Österreich-Ungarn und Italien schließen den gegen Frankreich gerichteten *Dreibund.*
Ägypten wird als Vizekönigreich unter osmanischer Suzeränität de facto ganz britischem Einfluß unterworfen.
Frankreich beginnt mit dem Erwerb des rechten Kongoufers, sein Kolonialreich in Zentralafrika aufzubauen.

1883 Im Deutschen Reich wird die Krankenversicherung für Arbeiter eingeführt, 1884 auch eine Unfallversicherung.
Im *Salpeterkrieg* besiegt Chile seine Nachbarn. Peru muß seine südlichsten Provinzen, Bolivien (das damit seinen Zugang zum Meer verliert) 1884 die Provinz Antofagasta an den Sieger abtreten.

1884 Das Deutsche Reich wird Kolonialmacht. Es erwirbt Kamerun, Südwestafrika, Togo, den Nordosten Neuguineas, die Marshall-Inseln und 1885 auch Ostafrika (seit 1899 unter Einschluß von Ruanda-Urundi), schließlich noch Nauru (1888).
Durch eine neuerliche Wahlrechtsreform wird der Kreis der Wähler in Großbritannien weiter vergrößert.

1885 Auf der *Berliner Kongo-Konferenz* wird der Anspruch König Leopolds II. von Belgien (1865–1909) auf den Kongo als Privatbesitz von den Mächten anerkannt.
Ostrumelien (= das südliche Bulgarien mit Plovdiv und Burgas) wird mit dem Fürstentum Bulgarien vereinigt.

1886 Nach drei Kriegen (1824–1826, 1853–1854, 1885–1886) verliert Birma (englisch: Burma) seine Unabhängigkeit und wird in das britische Weltreich einbezogen.
In Südafrika wird Gold gefunden; es ist Grundlage für den wirtschaftlichen Aufstieg der nördlichen Burenrepubliken.
Der deutsche Ingenieur Carl Friedrich Benz baut das erste Automobil der Welt.

1887 Nach der Eroberung auch des Nordens von Vietnam (1880–1885) vereinigt Frankreich diese Gebiete (Annam und Tonkin) mit Kambodscha und Kotschinchina zur Kolonie *Indochina,* die 1893 noch um Laos vergrößert wird.

Das Dreikaiserbündnis Rußland, Österreich, Deutschland wird nicht verlängert. Deutschland und Rußland schließen den *Rückversicherungsvertrag* – ein geheimes Neutralitätsabkommen auf drei Jahre.
Zum Nachfolger des auf russischen Druck abgesetzten Fürsten von Bulgarien wird Ferdinand von *Sachsen-Coburg-Koháry* gewählt.

1888 Der deutsche Kaiser Wilhelm I. stirbt; auf dem Thron folgt ihm zunächst sein Sohn Friedrich III., nach dessen raschem Tod sein Enkel Wilhelm II.
In Brasilien wird die Sklaverei abgeschafft. Als Folge davon stürzt die Monarchie (1889); das Land wird Republik (1891).

1889 Japan erhält eine Verfassung und ein Parlament. Das ostasiatische Kaiserreich ist das einzige außereuropäische Land, dem es ohne die Zwischenstufe einer quasi-kolonialen Abhängigkeit gelingt, bei Wahrung eigener Identität und Tradition europäische Standards (vor allem in der Wirtschaft und beim Militär) zu adaptieren.
Im Deutschen Reich wird eine Alters- und Invalidenversicherung eingeführt. Sie ist Höhepunkt und Abschluß der Bismarckschen Sozialgesetzgebung.

1890 Der deutsche Kaiser entläßt Bismarck aus dem Amt des Reichskanzlers.
Im *Helgoland-Sansibar-Vertrag* einigen sich Großbritannien und das Deutsche Reich auf einen Ausgleich: Sansibar und das Wituland in Kenia werden britisch, Helgoland und der Caprivi-Zipfel in Südwestafrika deutsch.
Im Deutschen Reich wird das Sozialistengesetz nicht verlängert.
Deutschland weigert sich, den *Rückversicherungsvertrag* mit Rußland zu verlängern.
Cecil Rhodes erwirbt das später nach ihm benannte Rhodesien (seit 1923 britische Kronkolonie) und öffnet es weißer Besiedlung.
Die Personalunion zwischen den Niederlanden und Luxemburg endet.

1891 Papst Leo XIII. (1878–1903) verkündet die erste Enzyklika der katholischen Kirche zur sozialen Frage.
In Rußland wird mit dem Bau der *Transsibirischen Eisenbahn* begonnen; sie ist bis 1916 fertiggestellt.

1892 Rußland und Frankreich schließen eine zunächst geheime Militärkonvention zur gegenseitigen militärischen Unterstützung bei einem deutschen Angriff.

1893 In Neuseeland wird das allgemeine Wahlrecht – auch für Frauen – eingeführt – lange bevor dies in Europa und Nordamerika geschieht, wo Frauen das Wahlrecht fast überall erst nach dem I. Weltkrieg erhalten (in Deutschland 1918/19).

1894 In Rußland folgt Kaiser Nikolaus II. seinem Vater Alexander III.

1895 Im *Frieden von Shimonoseki* muß China nach einem verlorenen Krieg (seit 1894) Taiwan und die Pescadores-Inseln an das siegreiche Japan abtreten.
In Deutschland wird der *Kaiser-Wilhelm-Kanal* zwischen Nord- und Ostsee eröffnet.

1896 Nach dem Erwerb Eritreas durch Italien (1882–1890) scheitert dessen Versuch, auch Äthiopien zu erobern, in der Schlacht bei Adua.
Nach Errichtung eines Protektorats über die Insel (1885) annektiert Frankreich Madagaskar als Kolonie. Das dort noch bestehende *Merino*-Königreich erlischt.
Im Deutschen Reich beginnt eine Phase der Hochkonjunktur. Sie macht das Land neben den USA zur führenden Industriemacht der Erde.
Theodor Herzl, Begründer des politischen Zionismus, veröffentlicht seine Programmschrift *Der Judenstaat*, mit der er für die Ansiedlung europäischer Juden in Palästina wirbt.

1897 Mit dem *Dingley-Tariff*, dem höchsten in ihrer Geschichte, erreicht der Protektionismus in den USA als einer noch jungen Industrienation seinen Höhepunkt.
Nach der chinesischen Niederlage im Krieg mit Japan löst sich die *Yi-Dynastie* in Korea aus der Vasallität von China und proklamiert das Kaiserreich *Daehan*.

1898 Die deutsche Regierung setzt mit dem ersten Flottengesetz ein Programm zum massiven Ausbau der Flotte in Gang und löst damit ein Wettrüsten vor allem mit Großbritannien aus.
Die Herrschaft des *Mahdi* (1881–1885) und seiner Nachfolger provoziert eine britische Intervention im Sudan, der fortan als britisch-ägyptisches Kondominat verwaltet wird. Ein Treffen von Briten und Franzosen bei Faschoda endet mit dem Rückzug der letzteren.
Im *Splendid Little War* erringen die Vereinigten Staaten, die zugunsten des kubanischen Aufstandes (seit 1895) intervenieren, einen leichten Sieg über Spanien. Kuba wird 1902 und endgültig 1909 unabhängig, verbleibt aber in starker Abhängigkeit von den USA. Spanien muß die Philippinen, Puerto Rico und Guam an die USA abtreten, die damit als ehemalige Kolonie selbst Kolonialmacht werden.
China verpachtet unter massivem Druck die New Territories (gegenüber Hongkong) an Großbritannien, Port Arthur (Lüda) an Rußland, Kiautschou (Jiaozhou) an das Deutsche Reich und die Bucht von Quanzhou an Frankreich.

1899 Spanien verkauft die Inselgruppen der Karolinen und Marianen sowie die Palau-Inseln an das Deutsche Reich.

Die USA und das Deutsche Reich einigen sich über eine Teilung der Samoa-Inseln.
Ein europäisches Konsortium unter deutscher Führung erhält die Konzession zum Bau der *Bagdad-Bahn*.

1900 König (seit 1878) Umberto I. von Italien wird ermordet; auf dem Thron folgt ihm Viktor Emanuel III. (bis 1946).
Die durch einen Diplomatenmord provozierte Intervention westlicher Mächte (Großbritannien, Frankreich, Deutschland, Österreich-Ungarn, Rußland, Italien, USA) einschließlich Japans führt zur Besetzung der chinesischen Hauptstadt Beijing. Die Niederwerfung der in Europa *Boxer-Aufstand* genannten xenophoben Bewegung in China markiert einen Höhepunkt des europäischen Imperialismus und zugleich einen Triumph über die einst überlegene chinesische Zivilisation.

Das zwanzigste Jahrhundert

1901 Großbritannien gewährt Australien als zweitem weißen *Dominion* die Selbstverwaltung.
Königin Victoria von Großbritannien, die einem ganzen Zeitalter den Namen gegeben hat, stirbt.

1902 Großbritannien schließt mit Japan einen Bündnisvertrag.
Der Burenkrieg (seit 1899) endet mit einem vollständigen Sieg der Briten über die Buren. Transvaal und der Oranje-Freistaat werden britisch.
Abdalaziz III. aus dem Hause *Saud* erobert Ar-Ryiad, die alte Hauptstadt seiner Familie, von den Osmanen zurück und begründet das Königreich Najd.

1903 In Serbien endet das Haus Obrenović mit der Ermordung seines letzten Vertreters. Peter I. Karajordjević wird neuer König. Mit ihm gewinnt Rußland an Einfluß im Land.
Nach einer von den USA (wegen deren Kanalinteressen) inszenierten Revolution trennt sich Panama von Kolumbien und wird selbständig.

1904 Großbritannien und Frankreich erzielen einen Ausgleich ihrer kolonialen Interessen und verbünden sich zur *Entente cordiale*.

1905 In einer Volksabstimmung sprechen sich die Norweger für eine Auflösung der Personalunion mit Schweden aus. Mit Håkon VII. († 1957) erhält das Land einen eigenen König.
Im *Frieden von Portsmouth* (USA) muß Rußland nach seiner Niederlage im Krieg mit Japan (seit 1904) die Pachtrechte in Port Arthur (China) und den südlichen Teil der Insel Sachalin an Japan abtreten.

Der verlorene Krieg erschüttert das politische System Rußlands. Kaiser Nikolaus II. kündigt deshalb die Einberufung einer parlamentarischen Vertretung und die Gewährung bürgerlicher Freiheitsrechte an.

1907 Das alte buddhistische Fürstentum Bhutan wird unter der noch heute regierenden Dynastie *Wangchuk* Königreich.
In Finnland (als noch zu Rußland gehörigem Großfürstentum) wird als erstem Land Europas das Frauenwahlrecht eingeführt.
Großbritannien und Rußland verständigen sich über die Abgrenzung ihrer Interessensphären in Persien, Afghanistan und Tibet.
Neuseeland wird als drittes weißes *Dominion* von Großbritannien unabhängig.

1908 Bulgarien erklärt seine völlige Unabhängigkeit vom Osmanischen Reich als Königreich.
Österreich-Ungarn annektiert Bosnien-Herzegowina.
Der deutsche Kaiser Wilhelm II. wird wegen seiner umstrittenen Äußerungen im *Daily Telegraph* im Reichstag heftig kritisiert.
König Leopold II. tritt den Kongo an den belgischen Staat ab.

1909 Im Deutschen Reich wird Reichskanzler (seit 1900) Bernhard v. Bülow entlassen und durch Theobald v. Bethmann Hollweg (bis 1917) ersetzt.
Das britische Oberhaus wird nach einem Verfassungskonflikt völlig entmachtet.

1910 Südafrika (Kapkolonie, Natal, Transvaal und Oranje-Freistaat) wird als britisches *Dominion* unabhängig.
Japan annektiert Korea (seit 1929 japanische Provinz *Chosen*) und macht es in der Folgezeit zum Objekt von Ausbeutung und Plünderung.
Montenegro wird als Königreich endgültig souverän.
In Portugal wird die Monarchie gestürzt und die Republik proklamiert.

1911 In Mexiko wird der seit 1877 regierende Diktator Porfirio Diaz gestürzt. Das Land versinkt anschließend jedoch in Anarchie.
Der deutsche *Panthersprung nach Agadir* löst eine neuerliche Krise um Marokko aus, die mit dem *Marokko-Kongo-Vertrag* beigelegt wird: Deutschland erhält für die Anerkennung der französischen Oberhoheit über Marokko Gebiete in Zentralafrika zur Vergrößerung seiner Kolonie Kamerun.
Der Norweger Roald Amundsen erreicht als erster Mensch den Südpol vor seinem Konkurrenten Robert Falcon Scott, der auf dem Rückweg vom Pol umkommt.
Die Mongolei proklamiert ihre Unabhängigkeit von China.

1912 Durch seit Herbst 1911 andauernde Aufstände erschüttert, wird die Kaiserherrschaft in China nach mehr als 2000 Jahren gestürzt, das Land zur Republik erklärt. Deren Gründer Sun Yatsen muß aber als Präsident noch im selben Jahr dem Militärbefehlshaber Yuan Shikai Platz machen.
Im *ersten Balkankrieg* siegt ein Bündnis aus Serbien, Bulgarien, Griechenland und Montenegro über das Osmanische Reich, das 1913 fast seinen gesamten Besitz in Europa verliert.
Nach dem verlorenen *Tripoliskrieg* tritt das Osmanische Reich Libyen an Italien ab.
Frankreich und Spanien grenzen ihre Einflußsphären in Marokko gegeneinander ab und errichten endgültig ein Protektorat über das Land.
Zum Schutz ihrer Kanalinteressen intervenieren die USA in Nicaragua; eine weitere Intervention folgt 1927.
Albanien erklärt seine Unabhängigkeit vom Osmanischen Reich.

1913 Im *Zweiten Balkankrieg* siegt ein Bündnis aus Serbien, Griechenland, Rumänien und dem Osmanischen Reich über Bulgarien, das auf den größeren Teil seiner Eroberungen im ersten Krieg (u.a. Edirne) verzichten muß und nur einen schmalen Zugang zur Ägäis gewinnt.
Mit dem *Underwood-Simmons-Tariff* werden die Einfuhrzölle in den USA drastisch gesenkt; die amerikanische Politik verfolgt fortan eher die Ziele des Freihandels (besonders nach 1945).
Kreta wird mit Griechenland vereinigt.

1914 Mit der endgültigen Errichtung eines Protektorats über das Sultanat Johore ist der Erwerb der Malaiischen Halbinsel durch Großbritannien abgeschlossen. Zuletzt hatte Thailand 1909 auf seine Oberhoheit über einige Sultanate verzichten müssen.
Der *Panama-Kanal,* der bis Ende 1999 US-amerikanischer Kontrolle unterstellt bleibt, wird als Verbindung zwischen Atlantik und Pazifik eröffnet.
Die USA intervenieren in Mexiko.
Bei einem Besuch in Sarajewo wird der österreichische Thronfolger Franz Ferdinand von serbischen Nationalisten ermordet. Diese Tat löst einen Krieg zwischen Österreich-Ungarn und Serbien aus.
Wegen des mit Österreich-Ungarn bestehenden Bündnisses erklärt das Deutsche Reich Rußland und kurz darauf auch Frankreich den Krieg, worauf Großbritannien wiederum den Kriegszustand mit Deutschland proklamiert. Damit beginnt der *Erste Weltkrieg,* in dem Europa seine unumschränkte politisch-militärische Dominanz auf der Welt verliert.
Japan greift an der Seite der *Entente* in den Krieg ein.
Eine russische Invasionsarmee wird bei Tannenberg in Ostpreußen von den Deutschen vernichtend geschlagen. Demgegenüber stockt der deutsche Vormarsch in Frankreich bereits an der Marne. Hier erstarrt der Kampf bald zum verlustreichen Stellungskrieg.

Die *Entente* erklärt auch dem Osmanischen Reich den Krieg. Ägypten proklamiert daraufhin seine Unabhängigkeit als Sultanat, und Zypern wird endgültig britisch.

1915 Britische, französische, australische und neuseeländische Einheiten versuchen vergeblich, die Dardanellen unter ihre Kontrolle zu bringen.
Die Versenkung des britischen Passagierschiffs *Lusitania* durch ein deutsches U-Boot belastet die Beziehungen zwischen den USA und Deutschland schwer. Der deutsche U-Boot-Krieg wird daraufhin vorläufig eingestellt.
Italien tritt in den Krieg gegen die *Mittelmächte* ein.
In Großbritannien wird eine nationale Koalition unter Einschluß der Labour Party gebildet. Premierminister ist seit 1916 der Liberale David Lloyd George (bis 1922).
Die USA intervenieren auf Haiti, das sie bis 1934 besetzt halten.
Einheiten der *Mittelmächte* besetzen ganz Serbien, worauf Bulgarien an ihrer Seite in den Krieg eintritt.

1916 Beginn der deutschen *Verdun*-Offensive: Trotz eines gewaltigen Einsatzes, der einen ungeheueren Blutzoll auch unter den Verteidigern fordert, gelingt der Durchbruch letztlich nicht.
Die USA intervenieren erneut in Mexiko und auch in der Dominikanischen Republik (hier bis 1924).
Der Oster-Aufstand der irischen *Sinn-Fein*-Bewegung gegen die britische Herrschaft wird blutig unterdrückt.
Im *Sykes-Picot-Abkommen* erzielen Großbritannien und Frankreich Einvernehmen über die Aufteilung ihrer Interessensphären im Nahen Osten nach einer Niederlage des Osmanischen Reiches.
Die Russen starten die *Brussilow-Offensive,* erzielen aber nur Anfangserfolge.
Der Scherif von Mekka aus dem Hause der *Hashemiten* erhebt sich zum König des Hijaz (Hedschas), nach der Niederlage des Osmanischen Reiches zum *„König der Araber“* (1924).
Der chinesische Präsident Yuan Shikai wird ermordet; das Land versinkt danach endgültig im Bürgerkrieg der *„warlords“*.
Rumänien tritt in den Krieg gegen die Mittelmächte ein, wird aber von deren Truppen sofort vollständig besetzt.
Kaiser Franz-Joseph stirbt; in Österreich-Ungarn folgt ihm sein Großneffe Karl I.

1917 In Rußland wird die Monarchie gestürzt. Kaiser Nikolaus II. dankt ab; er wird 1918 mit seiner Familie von den *Bolschewiki* umgebracht.
Wegen der Wiederaufnahme des unbeschränkten U-Boot-Kriegs und der *Zimmermann-Depesche* (Angebot an Mexiko, ein Bündnis mit Deutsch-

land zu schließen) treten die USA in den Krieg gegen die Mittelmächte ein.
Die Mehrheit im Deutschen Reichstag verabschiedet eine Friedensresolution, kann sie jedoch gegen die militärische Führung nicht durchsetzen.
In der *Balfour-Deklaration* sichert Großbritannien Unterstützung bei der Einrichtung einer nationalen Heimstätte der Juden in Palästina zu.
Bolschewistische Verbände unter dem mit deutscher Hilfe nach Rußland zurückgekehrten Berufsrevolutionär Lenin stürmen das Winterpalais in Petrograd und verhaften die provisorische russische Regierung (*Oktoberrevolution*).
In Frankreich bildet Clemenceau als Verfechter verstärkter Kriegsanstrengungen sein zweites Kabinett (bis 1920).
Finnland erklärt seine Unabhängigkeit von Rußland.

1918 Der amerikanische Präsident Woodrow Wilson (1913–1921) verkündet seine *14 Punkte* als Grundlage einer Friedensordnung.
Im *Frieden von Brest-Litowsk* diktiert Deutschland den Russen harte Friedensbedingungen, so u.a. den Verzicht auf die Ukraine.
Auf Wunsch der *Obersten Heeresleitung,* die eine Fortsetzung des Krieges für aussichtslos hält, wird im Deutschen Kaiserreich das parlamentarische System eingeführt, um die Ausgangslage für eine amerikanische Vermittlung zu verbessern.
Nach dem Ausscheiden seiner Verbündeten (Bulgarien, Osmanisches Reich, Österreich-Ungarn) aus dem Krieg muß auch das Deutsche Reich, das kurz zuvor zur Republik erklärt worden ist, kapitulieren.
Der deutsche Kaiser Wilhelm II. und der österreichische Kaiser Karl I. danken ab.
Nach dem Zusammenbruch der *K.-u.-K.-Monarchie* entstehen die Tschechoslowakei und das Königreich der Serben, Kroaten und Slowenen (*SHS*) als neue Staaten in Europa. Siebenbürgen wird mit Rumänien vereinigt.
Neben Finnland entstehen Polen, Litauen, Estland und Lettland als neue Staaten auf ehemals russischem Territorium.
Das Imamat Jemen wird als Königreich souverän.

1919 Nach der Niederwerfung der radikalen Linken wird in Deutschland eine Nationalversammlung gewählt, die den Sozialdemokraten Friedrich Ebert zum Reichspräsidenten bestimmt und eine neue demokratische Verfassung erarbeitet (*Weimarer Verfassung*).
Der von Präsident Wilson angeregte *Völkerbund* mit Sitz in Genf wird gegründet. Die USA bleiben ihm jedoch fern.
Mit der Besetzung İzmirs beginnt der griechisch-türkische Krieg um den Besitz Westanatoliens.
Im *Friedensvertrag von Versailles* tritt Deutschland Elsaß-Lothringen an Frankreich, Posen und Westpreußen an Polen, das Memelgebiet an Litauen und das Hultschiner Ländchen an die Tschechoslowakei ab. Außerdem

verliert es sämtliche Kolonien und später nach Volksabstimmungen weitere Gebiete an Dänemark, Polen und Belgien. Danzig wird *Freie Stadt,* das Saarland von Deutschland getrennt und wirtschaftlich Frankreich angeschlossen. Für das deutsche Militär gelten straffe Restriktionen. Langfristig von größter Bedeutung sind jedoch die auf den Kriegsschuldartikel 231 gestützten hohen Reparationsforderungen.
In Ungarn bricht die Rätediktatur zusammen.
Albanien wird als unabhängiger Staat anerkannt.
Im Frieden von *St. Germain-en-Laye* muß Österreich die Unabhängigkeit seiner neuen Nachbarn anerkennen und Tirol bis zum Brenner an Italien abtreten.
Im *Frieden von Neuilly* verliert Bulgarien den Zugang zur Ägäis.

1920 In Ungarn übernimmt Admiral Miklós Horthy als Reichsverweser die Macht (bis 1944).
In Berlin scheitert der nationalistische *Kapp-Putsch* am passiven Widerstand der Verwaltung und einem Generalstreik der Gewerkschaften.
Im *Frieden von Trianon* muß Ungarn auf zwei Drittel seines Territoriums (Kroatien, Siebenbürgen, Slowakei, Banat, Burgenland) verzichten.
Mit dem *Frieden von Sèvres* schrumpft das Osmanische Reich zum anatolischen Rumpfstaat; die harten Bedingungen provozieren sofort einen nationaltürkischen Widerstand.
Frankreich übernimmt das Mandat des Völkerbunds über Syrien, von dem 1926 der Libanon – ein Gebiet mit christlicher (*Maroniten*) Bevölkerungsmehrheit – abgetrennt wird.

1921 Nach einem erfolgreichen Krieg gegen das bolschewistische Rußland gewinnt Polen im *Frieden von Riga* einen beträchtlichen Gebietszuwachs an seiner Ostgrenze.
Die Einwanderung in die USA wird erstmals strikt begrenzt.
Unter britischer Oberherrschaft begründet die *Hashemitendynastie* das Königreich Irak (souverän jedoch erst 1932).
Gleichfalls unter britischer Oberherrschaft begründet ein anderer Zweig der *Hashemiten* das Emirat Transjordanien.
In Deutschland wird der Zentrums-Politiker Matthias Erzberger von Rechtsradikalen als „*Novemberverbrecher*" ermordet.
Großbritannien entläßt Irland als Dominion in die Unabhängigkeit. Nordirland mit seiner protestantischen Mehrheit bleibt aber britisch.
In Rußland erreicht die Hungersnot als Folge des Bürgerkrieges und der bolschewistischen Wirtschaftspolitik ihren Höhepunkt.

1922 Ägypten erlangt seine formale Unabhängigkeit von britischem Einfluß und wird Königreich.
Das *Zentralkomitee der Kommunistischen Partei* in Rußland wählt Iosif Stalin zum Generalsekretär. Damit beginnt der Aufstieg eines skrupellosen Machtpolitikers zu unumschränkter Herrschaft.

Das Deutsche Reich und das bolschewistische Rußland schließen in Rapallo einen Vertrag, in dem alle gegenseitigen Ansprüche aus dem Krieg für erledigt erklärt werden.
Der deutsche Außenminister Walther Rathenau wird als „*Erfüllungspolitiker*" von antisemitischen Rechtsradikalen ermordet.
Kemalistische Truppen besiegen die Griechen militärisch und leiten deren Massenvertreibung aus Kleinasien ein. Sie besetzen auch Konstantinopel, worauf der letzte Padischah abdankt und die Türkei verläßt. 1924 wird auch das *Kalifat* abgeschafft.
In Italien marschieren die *Faschisten* unter Benito Mussolini, der vom König anschließend zum Ministerpräsidenten ernannt wird, auf Rom.
Der polnische Staatschef Piłsudski tritt zurück.
Auf dem *I. Allunionskongreß* in Moskau wird die *Gründung der Union der Sozialistischen Sowjetrepubliken* (UdSSR) beschlossen.

1923 Wegen ausstehender Kohlelieferungen besetzen Franzosen und Belgier das Ruhrgebiet. Die deutsche Regierung verkündet im Gegenzug den passiven Widerstand; dieser muß aber nach einigen Monaten aus finanziellen Gründen abgebrochen werden.
Im *Frieden von Lausanne* erhält die Türkei Ostthrakien mit Edirne zurück. Auch Armenien und Kurdistan verbleiben in der neu proklamierten *Türkischen Republik*, zu deren Hauptstadt Ankara erhoben wird. Erster Präsident ist bis zu seinem Tode 1938 Mustafa Kemal Pascha (seit 1934: *Atatürk*).
Adolf Hitler, Führer der rechtsradikalen *Nationalsozialistischen Deutschen Arbeiterpartei*, unternimmt in München einen – erfolglosen – Putschversuch.
Mit der Einführung der *Rentenmark* wird die Hyperinflation in Deutschland überwunden.

1924 Lenin stirbt in Gorki bei Moskau.
In Großbritannien bildet die *Labour Party* erstmals eine Regierung, doch kehren die Konservativen nach einem Wahlsieg noch im selben Jahr an die Macht zurück.
Griechenland wird vorübergehend bis 1935 Republik.
Der *Dawes-Plan* zur Regelung der deutschen Reparationsleistungen tritt in Kraft.
Mit massiver sowjetischer Unterstützung wird die *Mongolische Volksrepublik* als zweiter kommunistischer Staat der Welt proklamiert.

1925 Mussolini errichtet in Italien offen die faschistische Diktatur.
Nach dem Tod von Reichspräsident Ebert wird in Deutschland der konservative greise Generalfeldmarschall v. Hindenburg zu dessen Nachfolger gewählt.

Auf der *Konferenz von Locarno* erkennt Deutschland die Unverletzlichkeit seiner Westgrenzen an; bezüglich der Ostgrenzen verpflichtet es sich, keine Änderung mit Gewalt herbeizuführen.
Reza Khan Pahlevi setzt den letzten Herrscher der *Kadjaren-Dynastie* im Iran ab und besteigt selbst den Pfauenthron (bis 1941).

1926 Abdalaziz III. vereinigt nach seinem Sieg über die *Hashemiten* die Königreiche Najd und Hijaz, die gemeinsam seit 1932 das Königreich *Saudi-Arabien* bilden.
In Polen übernimmt nach einem Putsch erneut Marschall Piłsudski († 1935) die Macht.
Deutschland wird in den *Völkerbund* aufgenommen.
In Japan besteigt Hirohito († 1989) unter der Devise *Showa* („erleuchteter Friede") den Kaiserthron.

1927 Auf dem 15. Parteitag der *KPdSU* werden Trotzki und andere Kritiker Stalins aus der Partei ausgeschlossen.
Der Amerikaner Lindbergh überquert den Atlantik erstmals im Alleinflug. Ein regelmäßiger Passagierverkehr zwischen Europa und Amerika wird jedoch erst 1939 aufgenommen.

1928 In Deutschland wird die letzte parlamentarische Regierung als *Große Koalition* gebildet.
Der albanische Präsident (seit 1925) nimmt als Zogu I. den Königstitel an.
In der Sowjetunion beginnt die Zwangskollektivierung der Landwirtschaft.

1929 Im *Königreich der Serben, Kroaten und Slowenen* werden separatistische Bestrebungen der Kroaten unterdrückt und eine Königsdiktatur errichtet. Das Land wird in *Jugoslawien* umbenannt.
In den *Lateranverträgen* gibt der Papst seinen Widerstand gegen den italienischen Staat auf und erhält dafür die *Vatikanstadt* zum souveränen Besitz.
Der deutsche Außenminister (seit 1923) Gustav Stresemann, der um einen Ausgleich mit Frankreich bemüht war, stirbt überraschend.
Mit dem Zusammenbruch der New Yorker Börse beginnt die mehrere Jahre andauernde *Weltwirtschaftskrise.*

1930 Mahatma Gandhi (ermordet 1948), Führer der indischen Freiheitsbewegung, startet eine neue gewaltlose Kampagne (*civil disobedience*) gegen die britische Kolonialherrschaft in Indien.
Der *Young-Plan* reduziert die deutschen Reparationslasten. Gegen ihn richtet sich eine wüste Hetze der deutschen Rechten.
Nach dem Bruch der letzten parlamentarischen Regierung in der Weimarer Zeit beruft Reichspräsident v. Hindenburg den *Zentrums*-Politiker Heinrich Brüning an die Spitze eines nur ihm verantwortlichen Präsidialkabinetts.

Bei einer vorgezogenen Reichstagswahl in Deutschland erzielen die Nationalsozialisten massive Stimmengewinne.

1931 In Spanien wird die Republik ausgerufen. König (seit 1886) Alfons XIII. verläßt das Land.
Japanische Truppen erobern die Mandschurei; unter dem letzten Kaiser von China (Puyi) wird dort 1932 das Kaiserreich Mandschukuo als japanischer Satellitenstaat errichtet.
Mit dem *Westminister-Statut* werden die britischen *Dominions* auch formal unabhängig.

1932 In Deutschland erreicht die Arbeitslosigkeit ihren Höhepunkt.
Reichspräsident v. Hindenburg wird zur Abwehr Hitlers als Staatsoberhaupt wiedergewählt – diesmal sogar mit Unterstützung der Sozialdemokraten.
Hindenburg entläßt Kanzler Brüning, kurz bevor auf der *Konferenz von Lausanne* alle deutschen Reparationsverpflichtungen aufgehoben werden.
In den nachfolgenden deutschen Regierungen sind die alten Adelseliten überproportional stark vertreten.
In Portugal wird Finanzminister (seit 1928) Salazar zum neuen Regierungschef berufen. Er errichtet auf der Basis einer neuen Verfassung (1933) eine Diktatur.

1933 Reichspräsident v. Hindenburg beruft Adolf Hitler zum deutschen Reichskanzler. Die Nationalsozialisten errichten anschließend binnen weniger Monate eine Diktatur, die zwölf Jahre dauern soll und nicht wiedergutzumachendes Unrecht mit sich bringt.
Der neue amerikanische Präsident Franklin D. Roosevelt initiiert mit dem *New Deal* ein (nur teilweise erfolgreiches) Programm zur wirtschaftlichen Erholung der USA.
In Österreich errichtet Bundeskanzler (seit 1932) Engelbert Dollfuß (ermordet 1934) eine *austrofaschistische* Diktatur.
In Saudi-Arabien wird die *Arabian American Oil Company* (*ARAMCO*) gegründet. Das Land entwickelt sich in der Folge zum Hauptproduzenten von Erdöl.
Deutschland tritt aus dem Völkerbund aus.

1934 In Estland und Lettland werden Diktaturen errichtet.
Hitler läßt potentielle Opponenten in den eigenen Reihen und auch außerhalb ermorden (*„Röhm-Putsch“*).
Nach dem Tod des Reichspräsidenten v. Hindenburg vereinigt der deutsche Diktator Hitler alle Macht in seiner Hand.
Die Sowjetunion wird in den Völkerbund aufgenommen und damit international definitiv anerkannt.

Mit dem Amtsantritt von Präsident Lázaro Cárdenas gelangt in Mexiko die *Institutionelle Revolutionspartei* (*PRI*) an die Macht; sie regiert das Land bis heute. 1938 wird die US-dominierte Erdölindustrie verstaatlicht.

1935 Das Saarland wird nach einer Volksabstimmung in das Deutsche Reich zurückgegliedert.
Deutschland hebt die Rüstungsbeschränkungen des *Versailler Vertrages* auf und führt die allgemeine Wehrpflicht ein. Von den Westmächten wird dies faktisch geduldet.
Mit den *Nürnberger Gesetzen* treten in Deutschland rechtlose Ausnahmebestimmungen gegen Juden in Kraft.
Die *Rote Armee der Kommunistischen Partei Chinas* erreicht unter der Führung Mao Zedongs nach dem *Langen Marsch* die nordwestliche Provinz Shaanxi und entgeht so der Vernichtung durch die Truppen der *Guomindang* unter General Chiang Kai-shek (Jiang Jieshi).

1936 Deutsche Truppen besetzen das entmilitarisierte Rheinland.
Italien annektiert Äthiopien (*Abessinien*), muß es aber nach einer britischen Intervention 1941 wieder räumen, worauf Haile Selassie (Regent seit 1916, Kaiser seit 1930) auf den Thron zurückgelangt.
Mit einem Putsch unter General Francisco Franco beginnt in Spanien der Bürgerkrieg gegen die linke Regierung, den die Nationalisten 1939 für sich entscheiden. Franco wird als *Caudillo de España* Diktator des Landes.
In Griechenland errichtet General Ioannis Metaxas eine Diktatur (bis 1941).
Deutschland schließt Bündnisverträge mit Italien und Japan.

1937 In der Sowjetunion beginnt eine neue Säuberungswelle Stalins, der bis 1938 zahlreiche ranghohe Politiker und Militärs zum Opfer fallen.
Japanische Verbände beginnen einen offenen Aggressionskrieg gegen China und besetzen weite Teile des Landes. *Guomindang* und Kommunisten bilden daraufhin ein Zweckbündnis, das 1945 nach der japanischen Kapitulation zerbricht.
Mit der Verabschiedung einer neuen Verfassung wird Irland de facto Republik.

1938 In Rumänien errichtet der König eine Diktatur.
Österreich wird nach einem Truppeneinmarsch vom Deutschen Reich annektiert („*Anschluß*").
Nach einem verlustreichen Krieg (1932–1935) verliert Bolivien den größten Teil des Chaco an Paraguay.
Mit dem *Münchner Abkommen*, dem neben Italien auch Frankreich und Großbritannien beitreten, wird die Tschechoslowakei gezwungen, das Sudetenland an das Deutsche Reich abzutreten.

Hitler und sein Propagandaminister Goebbels inszenieren in der sogenannten *Reichskristallnacht* ein Pogrom gegen Juden und jüdische Einrichtungen in Deutschland.

1939 Die Slowakei erklärt ihre Unabhängigkeit. Damit entsteht unter dem Protektorat Hitlers erstmals ein slowakischer Staat.
Deutsche Verbände besetzen das restliche tschechische Staatsgebiet, das als *Protektorat Böhmen und Mähren* mit eng begrenzter Autonomie dem Deutschen Reich angegliedert wird.
Deutschland annektiert das litauische Memelgebiet.
Italienische Truppen besetzen Albanien.
Deutschland und die Sowjetunion schließen einen Nichtangriffspakt.
Mit dem von Hitler befohlenen Angriff auf Polen beginnt der *Zweite Weltkrieg*. Großbritannien und Frankreich erklären Deutschland in Erfüllung ihrer Bündnisverpflichtungen gegenüber Polen den Krieg. Die Wehrmacht besetzt Polen, das als *Generalgouvernement* dem Deutschen Reich angegliedert wird. Ostpolen wird derweil von sowjetischen Verbänden besetzt.
Die *Rote Armee* greift Finnland an, das sich im *Winterkrieg* jedoch zäh verteidigt und im *Frieden von Moskau* (1940) nur relativ geringe Territorialverluste hinnehmen muß.

1940 Die deutsche Wehrmacht besetzt Dänemark, Norwegen, die Niederlande, Belgien, Luxemburg und schließlich auch Frankreich.
In Großbritannien bildet der Konservative Winston Churchill mit der *Labour Party* ein Kabinett der nationalen Einheit, um den Widerstand gegen die deutsche Aggression zu forcieren. Tatsächlich scheitert der Versuch Hitlers, Großbritannien aus der Luft niederzuringen, in der *Battle of Britain*.
Im besiegten Frankreich bildet Marschall Pétain eine Regierung, die mit den Deutschen kollaboriert. Derweil ruft der ins Exil ausgewichene General de Gaulle zum Widerstand gegen die deutsche Besetzung auf.
Die Sowjetunion annektiert gewaltsam die drei baltischen Republiken Estland, Lettland und Litauen.

1941 Deutsche Verbände tragen den Krieg nach Afrika, Jugoslawien und Griechenland.
In einem Überraschungsangriff überfällt die deutsche Wehrmacht auch die Sowjetunion und erzielt dort große Anfangserfolge. Großbritannien und die USA schließen daraufhin ein Beistandsabkommen mit Stalin. Rumänien, Italien, die Slowakei und Finnland (dieses aber nicht als Bündnispartner der Deutschen) treten in den Krieg gegen die Sowjetunion ein.
Im 1940 eingerichteten Lager Auschwitz und anderen Konzentrationslagern wird die Vernichtung der europäischen Juden vorbereitet.
Mit dem Überfall auf die amerikanische Flotte in Pearl Harbor (Hawaii)

tritt Japan in den Krieg ein. Das Deutsche Reich erklärt den USA den Krieg.

1942 Bei der *Wannsee-Konferenz* wird den Vertretern der obersten deutschen Reichsbehörden die *„Endlösung der europäischen Judenfrage"* bekanntgegeben. Dem durch den nationalsozialistischen Rassenwahn motivierten industriellen Massenmord fallen in den nachfolgenden Jahren Millionen von Juden zum Opfer und darüber hinaus ungezählte Menschen anderer Herkunft und Weltanschauung.
Japan, dessen Truppen in kurzer Zeit bis nach Neuguinea und Burma vordringen, gerät bereits im ersten Kriegsjahr in die Defensive (Seeschlacht bei den Midway-Inseln, Landung der Amerikaner auf Guadalcanal).
Deutsche Offensiven in Afrika (el-Alamein in Ägypten) und der Sowjetunion (Stalingrad) scheitern.
Deutsche Truppen besetzen auch den freien Teil Frankreichs.
Der italienische Physiker Enrico Fermi baut in den USA den ersten Kernreaktor. Bei Kriegsende sind die USA die erste und einzige Atommacht der Erde. Atomwaffen bauen später aber auch die Sowjetunion (1949), Großbritannien (1952) und Frankreich (1960).

1943 Auf der *Konferenz von Casablanca* legen sich Roosevelt und Churchill darauf fest, den Krieg bis zur *bedingungslosen Kapitulation* Deutschlands, Italiens und Japans fortzuführen.
Die Schlacht bei Stalingrad endet mit einem Triumph der *Roten Armee.* Reichspropagandaminister Goebbels propagiert daraufhin den *totalen Krieg.*
Ein Aufstand der Juden im Warschauer Ghetto wird von der Wehrmacht blutig niedergeschlagen.
Das deutsche Afrika-Korps kapituliert. Die Alliierten landen in Sizilien.
In Italien wird Mussolini abgesetzt, später jedoch von den Deutschen befreit, um im Norden Italiens seine Herrschaft fortzusetzen. Der König und sein neuer Regierungschef begeben sich derweil in das Lager der Alliierten im Süden Italiens, das damit faktisch geteilt wird.
Auf der *Konferenz der Großen Drei* (Roosevelt, Stalin, Churchill) in Teheran werden die Grundzüge einer Nachkriegsordnung in Europa fixiert: Die *Curzon-Linie* wird als Ostgrenze Polens, die *Oder-Neiße-Linie* als dessen Westgrenze in Aussicht genommen.

1944 Die Alliierten durchbrechen die Monte Cassino-Front und erobern Rom, gleichzeitig eröffnen sie durch eine Landung in der Normandie die von der Sowjetunion schon lange geforderte zweite Front im Kampf gegen die deutsche Wehrmacht.
Hitler überlebt ein Attentat des Grafen Claus Schenk von Stauffenberg leicht verletzt. Damit scheitert der Versuch konservativer Kreise, das Deutsche Reich durch die Beseitigung seines Diktators zu retten.

In Bretton Woods (USA) wird ein neues Weltwährungssystem eingerichtet, in dem der US-Dollar als Leitwährung dient.
Rumänien und Bulgarien scheiden als Bündnispartner Deutschlands aus dem Krieg aus.
Nach dem Einzug in Paris bildet General Charles de Gaulle, der Führer der französischen *Résistance,* dort eine provisorische Regierung.
Finnland schließt einen Sonderfrieden mit der Sowjetunion.
Die deutsche Wehrmacht räumt Griechenland und Albanien. Ihre letzte Offensive in den Ardennen scheitert rasch.

1945 Zweite *Konferenz der Großen Drei in Jalta* auf der Krim: Stalin verspricht, in den Krieg gegen Japan einzutreten. Gegen seinen Widerstand soll Frankreich an der Besetzung Deutschlands beteiligt werden. Die bipolare Struktur der Nachkriegsordnung, die Aufteilung Europas in je eine amerikanische und eine sowjetische Einflußsphäre bei äußerlicher Aufrechterhaltung des Großmachtstatus von Großbritannien und Frankreich, zeichnet sich ab.
Die *Rote Armee* erobert ganz Osteuropa und den östlichen Teil Deutschlands bis zur Elbe und löst damit eine gewaltige Flüchtlingsbewegung aus. Derweil erobern Amerikaner, Briten und Franzosen den Westen und Süden sowie die Mitte Deutschlands.
US-Präsident Roosevelt stirbt; Nachfolger wird Vizepräsident Harry S. Truman (bis 1953).
Hitler begeht Selbstmord, während die *Rote Armee* Berlin erobert.
Mussolini wird auf der Flucht in die Schweiz erschossen.
Die deutschen Streitkräfte kapitulieren in Reims vor den Amerikanern, in Berlin-Karlshorst vor den Russen. Deutschland wird vollständig besetzt und in eine amerikanische, russische, britische und französische Zone aufgeteilt.
Nach der deutschen Niederlage werden in den ehemals besetzten europäischen Staaten die ersten demokratischen Nachkriegsregierungen gebildet.
In San Francisco werden die *Vereinten Nationen* (*UNO*) begründet, deren Charta von 51 Staaten unterschrieben wird.
Auf der *Potsdamer Konferenz* einigen sich die *Großen Drei* auf wesentliche Grundsätze der Behandlung Nachkriegsdeutschlands (Entmilitarisierung, Entnazifizierung, Demokratisierung). Die millionenfache Vertreibung der Deutschen aus dem Osten wird auch von den Westmächten im Grundsatz gebilligt.
In Großbritannien erringt die Labour Party einen triumphalen Wahlsieg. Clement Attlee wird neuer Premierminister.
Als erste (und bislang einzige) Nation setzen die USA im Krieg gegen Japan Atomwaffen ein (Bombardierung von Hiroshima und Nagasaki). Japan kapituliert daraufhin.
Korea wird nach der japanischen Niederlage im Norden von sowjetischen, im Süden von amerikanischen Truppen besetzt.
In Belgrad wird die *Föderative Volksrepublik Jugoslawien* proklamiert.

Nach dem Ende der japanischen Besetzung erklärt Niederländisch-Indien als Indonesien seine Unabhängigkeit; sie wird von den Niederlanden nach militärischem Kampf jedoch erst 1949 anerkannt.
Ho Chi Minh († 1969), Führer der vietnamesischen Kommunisten, proklamiert nach der Niederlage Japans die Unabhängigkeit Vietnams; sie wird von der ehemaligen Kolonialmacht Frankreich jedoch nicht anerkannt und muß erst mit Waffengewalt erkämpft werden.

1946 Albanien wird zur Volksdemokratie proklamiert.
Nach dem Rücktritt de Gaulles wird in Frankreich eine neue Verfassung ausgearbeitet (*IV. Republik*).
Transjordanien wird als Königreich unter den *Hashemiten* souverän.
In der sowjetischen Besatzungszone Deutschlands werden SPD und KPD zur SED zwangsvereinigt.
Italien wird nach einer Volksabstimmung Republik.
Die USA entlassen die Philippinen in die lange versprochene Unabhängigkeit, behalten sich aber Stützpunktrechte vor. Erst 1992 wird die größte Flottenbasis Subic Bay geräumt.
Die USA und Großbritannien vereinigen ihre Besatzungszonen in Deutschland zur *Bizone* – Keimzelle der späteren Bundesrepublik.
Syrien und der Libanon (Proklamation der Unabhängigkeit jeweils bereits 1941) werden nach dem Abzug der französischen Truppen endgültig souverän.

1947 In Polen, Bulgarien und Rumänien übernehmen die Kommunisten endgültig die Macht.
Die Alliierten verfügen förmlich die Auflösung des Staates Preußen.
In Frankreich scheiden die Kommunisten aus der Regierung aus.
Beginn der Dekolonisation: Großbritannien entläßt Indien – freilich geteilt in einen muslimischen (Pakistan; Republik 1956) und einen hinduistischen Staat (Indische Union; Republik 1950; Ministerpräsident Jawaharlal Nehru 1947–1964) – in die Unabhängigkeit.

1948 Großbritannien entläßt Birma und Ceylon in die Unabhängigkeit.
In der Tschechoslowakei übernehmen die Kommunisten die Macht. Staatspräsident Beneš tritt zurück. Auch in Ungarn wird der kommunistische Einfluß auf die Regierung immer stärker.
Die USA starten ein Programm zum Wiederaufbau Europas (*ERP; Marshall Plan*), von dem auch das besiegte Deutschland (freilich unterdurchschnittlich) profitiert.
Einen Tag vor Ablauf des britischen UN-Mandats für Palästina wird Israel gemäß dem Teilungsplan der UNO als jüdischer Staat auf 77% der Fläche des Landes begründet. Es behauptet sich im nachfolgenden *Palästinakrieg* (Waffenstillstand 1949). Die arabischen Restgebiete einschließlich Ost-Jerusalems (aber ohne den Gaza-Streifen, der ägyptischer Verwaltung un-

terstellt wird) werden 1950 mit Transjordanien zum Königreich Jordanien (Proklamation 1949) vereinigt.
Die Westalliierten verfügen eine *Währungsreform* in den von ihnen besetzten Gebieten Deutschlands, um die Wirtschaft wieder in Gang zu bringen. Als Reaktion darauf verhängt die Sowjetunion eine erst 1949 aufgehobene Blockade West-Berlins, die durch eine *Luftbrücke* überwunden werden muß.
Stalin bricht mit Tito, Albanien daraufhin ebenfalls. Jugoslawien sucht danach einen eigenen Weg zum Sozialismus.
In Korea werden zwei Staaten proklamiert: eine kommunistische Volksrepublik im Norden (Nordkorea) und die Republik Korea im Süden (Südkorea), die durch eine Grenze entlang des 38. Breitengrads getrennt sind.
In Südafrika wird mit der Verwirklichung eines Programms zur systematischen Rassentrennung (*Apartheid*) begonnen (u.a. Verbot von Mischehen, 1949).

1949 Neufundland tritt dem Kanadischen Bund als zehnte Provinz bei.
In Washington wird die NATO als militärisches Verteidigungsbündnis unter amerikanischer Führung begründet. Ihm gehören neben den USA und Kanada die meisten westeuropäischen Länder an.
In Westdeutschland tritt das vom *Parlamentarischen Rat* seit 1948 erarbeitete Grundgesetz in Kraft. Damit ist die *Bundesrepublik Deutschland* konstituiert. Erster Regierungschef einer bürgerlichen Regierung aus Christdemokraten, Liberalen und einigen kleineren Parteien wird Konrad Adenauer.
Nach langem Bürgerkrieg im Gefolge der japanischen Kapitulation siegen die Kommunisten in China, das von Mao Zedong zur Volksrepublik erklärt wird. Chiang Kai-Shek († 1975) flieht mit den Resten der *Guomindang*-Truppen auf die erst 1945 von japanischer Herrschaft befreite Insel Taiwan und errichtet dort 1950 die *Republik China* (National-China).
In der sowjetischen Besatzungszone Deutschlands wird die *Deutsche Demokratische Republik* (*DDR*) begründet.

1950 Der französische Außenminister Robert Schuman schlägt die Schaffung einer Kontrollbehörde für die Erzeugung von Kohle und Stahl in Frankreich und der Bundesrepublik vor (*Schuman-Plan*).
Mit dem Angriff nordkoreanischer Truppen auf Südkorea beginnt der *Korea-Krieg*. Zur Abwehr entsendet die UNO Truppen (in der Hauptsache Amerikaner), die im Gegenzug bis zur chinesischen Grenze vorstoßen, ihrerseits aber wieder von chinesischen Verbänden nach Süden zurückgedrängt werden.
Truppen der Volksrepublik China besetzen Tibet, das jedoch schon zum Reich der *Qing*-Kaiser gehört hatte.

1951 In Paris wird der Vertrag über die Errichtung der *Europäischen Gemeinschaft für Kohle und Stahl* (*Montanunion*) von Frankreich, der Bundesrepublik, Italien und den *BENELUX*-Staaten unterzeichnet; er tritt 1952 in Kraft.
Die USA und 47 andere Länder (ohne die Sowjetunion) schließen einen Friedensvertrag mit Japan. Die letzten Besatzungstruppen verlassen das Land 1952. 1960 wird ein japanisch-amerikanischer Sicherheitspakt geschlossen, der mehrfach verlängert wird.
Australien und Neuseeland schließen mit den USA den *ANZUS-Pakt* zur Abwehr kommunistischer Gefahr.
Libyen wird als Monarchie unabhängig.
Die Familie *Rana*, deren Vertreter Nepal seit 1846 als erbliche Ministerpräsidenten regiert haben, wird gestürzt. König (seit 1911) Tribhuvana kehrt zurück; das Land wird konstitutionelle Monarchie.
In Großbritannien kehren die Konservativen nach ihrem Wahlsieg an die Regierung zurück. Winston Churchill ist bis 1955 erneut Premierminister.

1952 König (seit 1936) Georg VI. von Großbritannien stirbt; ihm folgt seine Tochter Elisabeth II., deren Krönung 1953 als erstes Fernsehereignis in die Geschichte eingeht.
Die ökonomisch prosperierende Republik Uruguay erhält eine Kollegialverfassung nach dem Vorbild der Schweiz.
Polen wird Volksdemokratie.

1953 Stalin stirbt; in der Sowjetunion entbrennt daraufhin ein Machtkampf um die Nachfolge, den letztlich Nikita Chruschtschow für sich entscheidet.
In verschiedenen Städten der DDR kommt es zu spontanen Streiks und Demonstrationen. Sowjetische Truppen schlagen den Aufstand nieder.
Nach dem Sturz König Faruks (1936–1952) wird die Monarchie in Ägypten endgültig abgeschafft. Die Macht übernimmt 1954 Gamal Abdel Nasser (bis 1970).
Mit dem *Waffenstillstand von Panmunjom* endet der Korea-Krieg de facto auf der Basis des status quo ante (Teilung am 38. Breitengrad).
In Italien tritt Ministerpräsident (seit 1945) Alcide de Gasperi, Christdemokrat und Vorkämpfer der europäischen Bewegung, zurück.
Kambodscha und Laos proklamieren ihre Unabhängigkeit als Königreiche; sie wird auf der *Genfer Konferenz* 1954 von Frankreich jeweils anerkannt.

1954 Eine US-Intervention zum Schutz der Interessen der *United Fruit Company* führt in Guatemala zum Sturz des sozialreformerischen Präsidenten J. Arbenz Guzmán.
Die Franzosen ziehen sich nach ihrer militärischen Niederlage bei Dien Bien Phu im Kampf gegen die kommunistischen *Vietminh* aus Indochina zurück. Vietnam wird faktisch geteilt: der Süden bleibt westlichen Einflüssen offen, der Norden ist kommunistisch.

In Brasilien wird der langjährige Präsident und Diktator Getulio Vargas (1930–1945 und seit 1951) vom Militär gestürzt. Er begeht daraufhin Selbstmord.

1955 Auf der ersten Konferenz der blockfreien afro-asiatischen Staaten in Bandung (Indonesien) wird die vollständige Beseitigung der europäischen Kolonialherrschaft und die Gleichwertigkeit der Rassen gefordert.
Die Bundesrepublik Deutschland tritt als nunmehr souveräner Staat der *NATO* bei.
Als Gegenstück zur *NATO* wird der *Warschauer Pakt* gegründet. Ihm gehören die Staaten des sowjetischen Einflußbereichs in Europa an, seit 1956 auch die DDR.
Das Besatzungsstatut für Österreich wird einvernehmlich aufgehoben. Österreich ist frei und erklärt seine immerwährende militärische Neutralität.
In Argentinien wird der seit 1946 (zeitweise diktatorisch) regierende Präsident Juan Perón gestürzt.
Die Bevölkerung lehnt in einer Volksabstimmung das *Europäische Statut für die Saar* ab. Das Saarland wird daraufhin 1957 in die Bundesrepublik eingegliedert.

1956 Der Sudan wird aus dem britisch-ägyptischen Kondominat entlassen und unabhängige Republik.
Die Bundesrepublik (*Bundeswehr*) und die DDR (*Nationale Volksarmee*) beginnen mit dem Aufbau eigener Streitkräfte.
Frankreich entläßt Marokko (Sultanat, seit 1957 Königreich) und Tunesien (Monarchie unter einem *Bey*, seit 1957 Republik) in die Unabhängigkeit.
Großbritannien und Frankreich eröffnen nach der Verstaatlichung des Suezkanals eine Offensive gegen Ägypten; sie müssen das Unternehmen aber auf amerikanischen und sowjetischen Druck hin alsbald abbrechen. Auch die auf den Sinai vorgedrungenen israelischen Truppen ziehen sich wieder zurück.
Der Volksaufstand in Ungarn gegen die kommunistische Herrschaft wird blutig unterdrückt. Neuer Parteichef (bis 1988) wird János Kádár, der versucht, einige Errungenschaften des Aufstands zu retten.

1957 Großbritannien entläßt die Goldküste unter dem historisierenden Namen *Ghana* (seit 1960 Republik) als erste seiner schwarzafrikanischen Kolonien in die Unabhängigkeit. Staatgründer Kwame Nkrumah (gestürzt 1966) genießt unter den Führern der Dritten Welt deshalb schon bald einen legendären Ruf.
In Rom werden die Verträge über die Gründung der *Europäischen Wirtschaftsgemeinschaft* (*EWG*) und der *Europäischen Atomgemeinschaft*

(*EURATOM*) von den Regierungschefs Frankreichs, Italiens, der Bundesrepublik und der *BENELUX*-Länder unterzeichnet. Sie treten zu Jahresbeginn 1958 in Kraft.
Die Malaiische Föderation – bis dahin britischer Herrschaft unterstehend – wird als einzige Wahlmonarchie der Welt unabhängig.
Die Sowjetunion schießt mit dem *Sputnik* den ersten künstlichen Erdsatelliten ins All.

1958 In Venezuela wird die seit 1948 bestehende Militärdiktatur gestürzt. Das Land kehrt unter Präsident Romulo Betancourt (1959–1964) zur Demokratie zurück.
Syrien und Ägypten schließen sich zur *Vereinigten Arabischen Republik* zusammen, die aber schon 1961 wieder zerfällt.
Zur Lösung der aus dem Algerienkrieg resultierenden Probleme wird General Charles de Gaulle erneut an die Spitze der französischen Regierung gerufen.
Im Irak wird die Monarchie gestürzt. König Faisal II. (seit 1939) kommt dabei ums Leben.
Frankreich entläßt Guinea unter Premierminister Sekou Touré als erste seiner schwarzafrikanischen Kolonien in die Unabhängigkeit.
Die USA intervenieren auf Ersuchen seines christlichen Staatspräsidenten im Libanon.
In Kolumbien endet ein langer Bürgerkrieg mit einem Abkommen zwischen Liberalen und Konservativen, sich in der Herrschaft abzulösen. Die fortdauernde Gewalttätigkeit (*violencia*) kann aber bis heute nicht wirksam unterdrückt werden.
Papst (seit 1939) Pius XII. stirbt; ihm folgt mit Johannes XXIII. die populärste Papstgestalt des 20. Jahrhunderts.

1959 Fidel Castro, der seit 1953 einen Guerillakrieg gegen das Regime Battista in Kuba geführt hat, zieht siegreich in Havanna ein und übernimmt die Macht. Ein Versuch von Exil-Kubanern, ihn mit Hilfe der USA zu stürzen, scheitert 1961 in der Schweinebucht.
In Frankreich tritt die Verfassung der *V. Republik* in Kraft. Charles de Gaulle wird Staatspräsident.
Der Dalai Lama flieht vor der chinesischen Herrschaft aus Tibet nach Indien.
Alaska und Hawaii werden 49. und 50. Bundesstaat der USA.
In Stockholm wird die *EFTA* als Gegenstück zur *EWG* gegründet. Als Mitglieder gehören ihr Großbritannien, Dänemark, Norwegen, Schweden, die Schweiz, Österreich und Portugal an.

1960 „Jahr Afrikas“: Frankreich entläßt Dahomey (seit 1975 *Benin*), die Elfenbeinküste (*Côte d'Ivoire*), Gabun, Kamerun, Madagaskar, Mali,

Mauretanien, Niger, Obervolta (seit 1984 *Burkina Faso*), Senegal, Togo, den Tschad und Zentralfrika (1976–1979 unter Bokassa I. „Kaiserreich") in die Unabhängigkeit. Gleichzeitig endet die britische Herrschaft in Nigeria als volkreichstem Staat Afrikas (seit 1963 als Republik, 1966–1979 und 1983–1999 unter Militärherrschaft) und die belgische im Kongo (1971–1997 unter dem Namen *Zaire*), der völlig unvorbereitet in die Selbständigkeit entlassen wird. Britisch- und Italienisch-Somaliland vereinigen sich zur unabhängigen Republik Somalia.
In der Türkei wird die seit 1950 amtierende Regierung Menderes (hingerichtet 1961) durch einen Militärputsch gestürzt.
Großbritannien entläßt Zypern als Republik unter der Präsidentschaft von Erzbischof Makarios († 1977) in die Unabhängigkeit.
In der DDR wird SED-Chef Walter Ulbricht auch Staatsoberhaupt.
König Mahendra (1955–1972) entläßt Parlament und Regierung und macht Nepal zur absolut regierten Monarchie.

1961 Als Nachfolger des *Republikaners* Dwight D. Eisenhower (seit 1953) wird der *Demokrat* John F. Kennedy Präsident der USA.
Die Sowjetunion startet den ersten bemannten Raumflug mit dem *Kosmonauten* Juri Gagarin.
Mit der Ermordung von Rafael Truijllo endet die seit 1930 bestehende Diktatur seiner Familie in der Dominikanischen Republik. Die Jahre danach sind durch soziale und politische Konflikte gekennzeichnet; sie provozieren 1965 erneut eine US-amerikanische Intervention.
Das Emirat Kuweit, über das die Briten seit 1899/1914 ein Protektorat ausgeübt haben, erlangt die volle Souveränität; sie wird vom Irak erst 1963 anerkannt.
Die Führung der DDR läßt in Berlin eine Mauer errichten, um die Massenflucht aus ihrem Staatsgebiet zu unterbinden.
Tanganjika (1964 unter dem Namen *Tansania* mit dem 1963 unabhängig gewordenen Sansibar vereinigt) und Sierra Leone (seit 1971 Republik) werden von britischer Herrschaft unabhängig.
Indien besetzt die noch verbliebenen kleinen portugiesischen Kolonien auf dem Subkontinent (u.a. Goa).
Albanien bricht mit der Sowjetunion und lehnt sich nachfolgend eng an China an.

1962 Westsamoa (der bis 1918 deutsche Teil der Inselgruppe) wird aus neuseeländischer Mandatsherrschaft entlassen und unabhängig.
In Birma (1989 in *Myanmar* umbenannt) übernehmen die Militärs die Macht; ihre Wirtschaftsexperimente führen das Land in den Ruin.
In Südkorea errichtet das Militär eine Diktatur.
Mit dem *Friedensvertrag von Évian* entläßt Frankreich nach jahrelangem Krieg Algerien in die Unabhängigkeit. Die französischen Siedler verlassen das Land.

Burundi und Rwanda werden aus dem von Belgien ausgeübten UN-Mandat entlassen und unabhängig. In Burundi behaupten die Tutsi die Macht, in Rwanda gelangen die Hutu zur Herrschaft.
Im Jemen wird die Monarchie gestürzt; im nachfolgenden Bürgerkrieg setzen sich mit ägyptischer Hilfe die Republikaner durch.
Papst Johannes XXIII. eröffnet das *II. Vatikanische Konzil,* auf dem grundlegende Reformen beschlossen werden.
Die Sowjetunion lenkt im Konflikt mit den USA um die Raketenstellungen auf Kuba ein und erklärt sich zu deren Räumung bereit.
Wegen der *Spiegel-Affäre* muß in der Bundesrepublik Verteidigungsminister Strauß seinen Platz im Kabinett räumen.
Jamaika, Trinidad and Tobago (seit 1976 Republik) und Uganda (seit 1963 Republik) werden von Großbritannien unabhängig.

1963 Bundeskanzler Adenauer und der französische Staatspräsident de Gaulle unterzeichnen in Paris den deutsch-französischen Freundschaftsvertrag.
Papst Johannes XXIII. stirbt; ihm folgt Paul V.
Die Malaiische Föderation bildet mit dem von Großbritannien in die Unabhängigkeit entlassenen Singapur und den bis dahin gleichfalls britischen Besitzungen Sabah und Sarawak auf Borneo den neuen Staat *Malaysia.*
Indonesien annektiert den bis dahin niederländischen Westteil Neuguineas als *West-Irian.*
Der deutsche Bundeskanzler Adenauer tritt zurück. Ihm folgt der langjährige Wirtschaftsminister (seit 1949) Ludwig Erhard.
In Süd-Vietnam wird der Diktator Diem (seit 1955) gestürzt und ermordet. Das durch die Infiltration von Guerilleros aus dem Norden ohnedies geschwächte Land wird dadurch weiter destabilisiert.
In den USA wird Präsident John F. Kennedy Opfer eines bis heute nicht befriedigend geklärten Attentats. Vizepräsident Lyndon B. Johnson tritt bis 1969 die Nachfolge an.
In Italien bildet der Christdemokrat Aldo Moro (ermordet 1978) ein Kabinett der linken Mitte (*Centro Sinistra*). Dies bleibt bis 1993 die typische Regierungskonstellation in Italien.
Kenia wird von Großbritannien nach seit 1952 andauerndem Kampf („*Mau-Mau*"-Aufstand) unabhängig (1964 Republik).

1964 Großbritannien entläßt nach dem Zerfall der Zentralafrikanischen Föderation (1963) Nordrhodesien als Sambia (*Zambia*) und Njassaland als *Malawi* und außerdem die Insel Malta in die Unabhängigkeit.
Mit der Zündung einer ersten Wasserstoffbombe wird die Volksrepublik China fünfte Atommacht.
In der Sowjetunion wird Partei- und Regierungschef Chruschtschow gestürzt. Als Chef der *KPdSU* folgt Leonid Breschnew (Staatsoberhaupt

1960–1964 und seit 1977), als Regierungschef Aleksej Kossygin (bis 1980). Nach langer Regierung durch die Konservativen übernimmt in Großbritannien die Labour Party unter Harold Wilson erneut die Macht.

1965 In Rumänien gelangt Nicolae Ceauşescu zur Macht (seit 1967 auch Staatsoberhaupt).
Der Vertrag über die Verschmelzung von EWG, Montanunion und Euratom zur *EG* wird unterzeichnet (1967 inkraftgetreten).
Großbritannien entläßt Gambia (seit 1970 Republik) und die Malediven (Sultanat, seit 1968 Republik) in die Unabhängigkeit.
Die USA entsenden erstmals Kampftruppen nach Süd-Vietnam zur Unterstützung im Krieg gegen den kommunistischen *Vietcong*. Das Kontingent wird bis Ende 1968 auf über eine halbe Million Mann verstärkt.
Singapur scheidet aus der Föderation Malaysia aus und wird unabhängige Republik.

1966 Großbritannien entläßt Barbados, Betschuanaland (als *Botswana*), Guayana und Basutoland (als *Lesotho*) in die Unabhängigkeit.
Die dramatische Verschlechterung der Wirtschaftslage und wachsende soziale Konflikte (Kampf der Stadtguerilla der *Tupamaros* seit 1963) führen in Uruguay zur Wiedereinführung des Präsidialsystems und 1969/70 zur faktischen Machtübernahme durch das Militär.
In der Bundesrepublik scheitert die bürgerliche Koalition an einer Finanz- und Wirtschaftskrise. Bundeskanzler Erhard tritt zurück; Nachfolger an der Spitze eines Kabinetts der *Großen Koalition* aus Christ- und Sozialdemokraten wird Kurt Georg Kiesinger.

1967 In Indonesien wird Präsident (seit 1945 bzw. 1949) Ahmed Sukarno von den Militärs gestürzt.
In Griechenland errichten Militärs eine Diktatur, die sich zahlreicher Menschenrechtsverletzungen schuldig macht.
Die Tötung eines demonstrierenden Studenten in Berlin markiert den Beginn der *Außerparlamentarischen Opposition* und der *68er-Bewegung* in der Bundesrepublik.
Im *Sechstagekrieg* erobert Israel in einem Angriffskrieg den ägytischen Sinai, die syrischen Golan-Höhen sowie die Reste Palästinas (Gaza-Streifen und Westjordanland).
In den USA beginnt der Massenprotest gegen den Vietnam-Krieg, der sich bald auf alle westlichen Länder ausweitet.
Großbritannien entläßt Südjemen in die Unabhängigkeit.

1968 Die *Mai-Unruhen* in Paris erschüttern Frankreich; Präsident de Gaulle gerät unter erheblichen Druck.
In den USA werden der schwarze Bürgerrechtler Martin Luther King und Senator Robert F. Kennedy (Bruder des ermordeten Präsidenten) ermordet.
Truppen des Warschauer Paktes rücken in die Tschechoslowakei ein, um

den *„Prager Frühling"* zu ersticken. Unter massivem sowjetischen Druck muß die Führung der ČSSR unter Alexander Dubček einwilligen, die eingeleiteten Maßnahmen zur Schaffung eines Sozialismus' mit menschlichem Antlitz zurückzunehmen.
In Portugal tritt der langjährige Diktator Salazar zurück. Das Regime wird nachfolgend jedoch nicht liberalisiert.
Äquatorialguinea wird von Spanien unabhängig, Mauritius und Swaziland von Großbritannien, Nauru von Australien (UN-Mandat seit 1947 bzw. 1920).
In Peru übernimmt das Militär die Macht; im Unterschied zu anderen derartigen Regimen verfolgt es aber anschließend ein „linkes", sozialreformerisches Programm, ohne freilich eine durchgreifende Verbesserung der Lebensverhältnisse zu erzielen. 1980 kehrt man in Peru zu verfassungsgemäßen Zuständen zurück.

1969 Der französische Staatspräsident de Gaulle tritt zurück; Nachfolger wird sein Parteigänger Georges Pompidou.
In der Volksrepublik China endet die seit 1966 von Mao Zedong inszenierte *Kulturrevolution* zur Ausschaltung unliebsamer „Rechtsabweichler" (u.a. Liu Shaoqi) und „alter Autoritäten".
Die US-Astronauten Armstrong und Aldrin landen als erste Menschen auf dem Mond.
Nach schweren Unruhen werden in Nordirland britische Truppen stationiert, die den bis heute andauernden Konflikt zwischen Protestanten und Katholiken jedoch nicht lösen können.
In Libyen wird die Monarchie gestürzt. Neuer Machthaber ist (bis heute) Moamar al-Gaddhafi.
In der Bundesrepublik wird nach der Bundestagswahl eine *sozialliberale Koalition* unter Bundeskanzler Willy Brandt gebildet. Die Christdemokraten bleiben erstmals von der Regierungsverantwortung ausgeschlossen.

1970 Nach dem Wahlsieg der Sozialisten wird Bruno Kreisky neuer Bundeskanzler Österreichs.
Die USA weiten den Vietnam-Krieg auch auf Kambodscha aus. Der kambodschanische Staatschef Prinz Sihanouk (seit 1960) wird von den prowestlichen Militärs gestürzt.
Die Konservativen gewinnen überraschend die Unterhauswahl in Großbritannien. Der überzeugte Europäer Edward Heath wird neuer Premierminister.
Großbritannien entläßt das Königreich Tonga und die Fiji-Inseln in die Unabhängigkeit.
Im Oman stürzt Sultan Qabus Bin Said seinen Vater. Das zuvor völlig abgeschlossene Land öffnet sich nachfolgend zunehmend westlichem Einfluß.

Die Bundesrepublik und die Sowjetunion kommen im *Moskauer Vertrag* über einen gegenseitigen Gewaltverzicht und die Anerkennung der bestehenden Grenzen überein.

1971 In Syrien übernimmt Hafiz al-Assad vom pragmatischen Flügel der *Baath*-Partei die Macht, die er bis heute ausübt.
In der DDR wird der *1. Sekretär des ZK der SED* Ulbricht zum Rücktritt gezwungen; an seine Stelle tritt Erich Honecker, der 1976 auch das Amt des Staatsratsvorsitzenden übernimmt.
Großbritannien gibt das Protektorat über Bahrein, Katar und die Vereinigten Arabischen Emirate auf.
Ostpakistan proklamiert seine Unabhängigkeit als Bangladesh; sie muß allerdings erst mit indischem Beistand durch einen Sieg über die pakistanischen Streitkräfte militärisch erkämpft werden.

1972 Die Volksrepublik China wird anstelle Taiwans ständiges Mitglied (mit Vetorecht) des *Sicherheitsrats* der Vereinten Nationen.
Richard Nixon besucht als erster Präsident (seit 1969) der USA die Volksrepublik China und initiiert damit ein Aufbrechen des bipolaren Weltsystems.
Die USA und die Sowjetunion einigen sich mit dem *SALT I-Abkommen* erstmals auf eine Beschränkung strategischer Waffen.
Ceylon wird unter dem neuen Namen *Sri Lanka* Republik.
Die Bundesrepublik und die DDR unterzeichnen den *Grundlagenvertrag*, der 1973 in Kraft tritt. Auch die NATO-Staaten nehmen danach diplomatische Beziehungen zur DDR auf.

1973 Großbritannien, Irland und Dänemark werden Mitglieder der Europäischen Gemeinschaft.
Die USA und Nordvietnam schließen ein Waffenstillstandsabkommen, das den Rückzug der Amerikaner aus Südvietnam ermöglicht, einen dauerhaften Frieden jedoch nicht schafft.
Der Dollarkurs wird freigegeben und schwankt seither im Wert gegen die anderen Währungen.
Die Bahamas werden von Großbritannien unabhängig.
In Afghanistan wird König Mohammed Zahir Schah (seit 1933) gestürzt und die Republik proklamiert.
In Chile wird der sozialistische Präsident (seit 1970) Salvador Allende vom Militär unter General Augusto Pinochet gestürzt. In den folgenden Jahren der Diktatur werden unzählige Menschen gefoltert und umgebracht.
Die Bundesrepublik und die DDR werden als Mitglieder in die Vereinten Nationen aufgenommen.
Im *Yom-Kippur*-Krieg gerät Israel nach einer Offensive seiner arabischen Nachbarn erstmals militärisch in Bedrängnis. Es kann seine Position je-

doch behaupten. Die dem Krieg folgende *Ölpreisrevolution* führt zu schweren ökonomischen Belastungen und harten Verteilungskämpfen überall in der Welt.
Die Vollversammlung der UNO brandmarkt die südafrikanische *Apartheid* als Verbrechen.

1974 Großbritannien entläßt die Insel Grenada in die Unabhängigkeit.
In Großbritannien übernimmt die Labour Party unter Harold Wilson (bis 1976) erneut die Regierung (bis 1979).
Der französische Staatspräsident Pompidou stirbt; zum Nachfolger wird der Liberalkonservative Valéry Giscard d'Estaing gewählt.
Wegen der Aussichtslosigkeit, die Kolonialkriege in Afrika gewinnen zu können, putscht in Portugal das Militär in der *Nelkenrevolution* gegen das diktatorische Regime. Die älteste europäische Kolonialmacht entläßt danach als letzte ihre Kolonien in die Unabhängigkeit, zuerst Guinea-Bissau, 1975 auch Angola, Kap Verde, Moçambique sowie São Tome und Principe.
In der Bundesrepublik tritt Bundeskanzler Brandt zurück; die sozialliberale Koalition wird jedoch unter Helmut Schmidt (SPD) fortgesetzt.
Türkische Truppen besetzen den Nordteil Zyperns und führen die bis heute andauernde Teilung der Insel herbei.
Wegen der Ereignisse in Zypern bricht in Athen die Militärdiktatur zusammen. Der langjährige konservative Regierungschef Karamanlis übernimmt dieses Amt erneut. Unter ihm werden die demokratischen Strukturen in Griechenland wiederhergestellt.
Wegen der *Watergate-Affäre* tritt Richard Nixon – als erster US-Präsident überhaupt – zurück. Vizepräsident Gerald Ford folgt ihm im Amt.
Kaiser Haile Selassie von Äthiopien wird gestürzt, sein Land im Jahr darauf zur Republik erklärt.

1975 Im Libanon beginnt ein grausamer Bürgerkrieg zwischen christlichen und muslimischen Milizen, in den 1976 auch syrische (und später israelische) Truppen eingreifen. Er kann erst 1991 beendet werden.
König (seit 1964) Faisal von Saudi-Arabien wird ermordet.
Nach dem Scheitern des Friedensabkommens von 1973 bricht Südvietnam zusammen. Der *Vietcong* rückt in Saigon ein. 1976 werden Nord- und Südvietnam zur Sozialistischen Republik Viet nam (wieder-)vereinigt.
Die *KSZE* endet mit der Unterzeichnung der *Schlußakte von Helsinki.* Ihre Kernpunkte sind ein umfassender Gewaltverzicht und die Anerkennung der bestehenden Grenzen.
Papua-Neuguinea und die Komoren (ohne die Insel Mayotte) werden unabhängig, ersteres von Australien, letztere von Frankreich.
Die Niederlande entlassen Surinam in die Unabhängigkeit. Mehr als 200 000 Einwohner (= ein Drittel der Bevölkerung) sind zuvor in das Mutterland ausgewandert, um sich die niederländische Staatsbürgerschaft zu sichern.

Indonesien annektiert das bis dahin portugiesische Ost-Timor; der blutige Konflikt mit den Gegnern dieser Annexion dauert bis heute an.
In Rambouillet bei Paris tagt der erste *Weltwirtschaftsgipfel,* an dem die wichtigsten westlichen Industrieländer teilnehmen.
In Spanien stirbt der *Caudillo* Francisco Franco. Gemäß den zuvor getroffenen Regelungen wird Juan Carlos von *Bourbon* zum König Spaniens ausgerufen.
In Laos wird nach dem Sieg der Kommunisten in Vietnam die Monarchie abgeschafft, das Land zur Volksrepublik erklärt.

1976 Spanien entläßt die Westsahara in die Unabhängigkeit. Das Gebiet wird jedoch sofort von marokkanischen und mauretanischen Truppen besetzt. 1979 annektiert es Marokko ganz, ohne daß dies bis heute internationale Anerkennung gefunden hätte.
Die *Roten Khmer* erobern Kambodscha und errichten dort eine Schreckensherrschaft, der Millionen von Menschen zum Opfer fallen.
Die Seychellen (seit 1814 britisch) werden unabhängig.
In Portugal wird General Eanes zum Staatspräsidenten gewählt. Während seiner Regierung (bis 1986) bilden sich im Land intakte demokratische Strukturen heraus.
König Juan Carlos von Spanien beruft Adolfo Suárez zum neuen Ministerpräsidenten (bis 1981). Unter ihm kommt ein umfassendes Demokratisierungsprogramm in Gang. 1977 werden die ersten freien Wahlen abgehalten, 1978 tritt eine demokratische Verfassung in Kraft.
Mao Zedong, unbestrittene Autorität in der Volksrepublik China, stirbt. Den Kampf um seine Nachfolge entscheidet seit 1977 langfristig Deng Xiaoping († 1997) für sich, der (ohne offizielle Staatsämter zu bekleiden) die Führung in China übernimmt, durchgreifende Wirtschaftsreformen durchführt und das Land gegenüber dem Westen öffnet.

1977 In den USA tritt der *Demokrat* Jimmy Carter das Amt des Präsidenten an.
Die Ermordung von Generalbundesanwalt Buback, des Bankiers Ponto und des Arbeitgeberpräsidenten Schleyer markieren in der Bundesrepublik den Höhepunkt des Terrorismus der sogenannten Roten Armee Fraktion.
In Pakistan wird Ministerpräsident (seit 1971) Zulfikar Ali Bhutto, der die Folgen der Sezession von Bangladesh zu bewältigen gesucht hat, von den Militärs gestürzt und 1979 hingerichtet. Nach dem Sturz der Militärherrschaft (1988) ist seine Tochter Benazir mehrfach Ministerpräsidentin (1988–1990; 1993–1996) des vom Islam stark geprägten Landes.
Djibouti, Frankreichs letzte Kolonie in Afrika, wird unabhängig.

1978 Papst Paul VI. stirbt; ihm folgt zunächst Johannes Paul I., nach dessen baldigem Tod mit Karol Woytiła aus Polen als Johannes Paul II. der erste nichtitalienische Papst seit dem 16. Jahrhundert.

Großbritannien entläßt Dominica, die Salomonen und die Ellice-Inseln (als *Tuvalu*) in die Unabhängigkeit.
China stellt die Wirtschaftshilfe für Albanien ein. Das ärmste Land Europas ist nun völlig isoliert.

1979 Durch eine vietnamesische Intervention wird die Schreckensherrschaft der *Roten Khmer* in Kambodscha gestürzt.
Im Iran wird die Monarchie durch die *islamische Revolution* gestürzt. Schah (seit 1941) Mohammed Reza († 1980) geht ins Exil, bestimmende Kraft wird das geistliche Oberhaupt der persischen Schiiten R. M. Chomeini († 1989).
Großbritannien entläßt St. Lucia, die Gilbert-Inseln (als *Kiribati*) und St. Vincent and the Grenadines in die Unabhängigkeit.
Auf amerikanische Vermittlung (Verhandlungen auf dem Landsitz Camp David 1978) schließen Israel und Ägypten Frieden. Der Sinai wird 1982 an Ägypten zurückgegeben.
Mit Hilfe tansanischer Truppen wird das Terrorregime des Idi Amin in Uganda (seit 1971) gestürzt.
Die Konservativen gewinnen die britische Unterhauswahl; ihre Parteichefin Margaret Thatcher wird erste Premierministerin (bis 1990) Großbritanniens.
Das *Europäische Parlament* wird erstmals direkt gewählt.
In Nicaragua wird die Diktatur der Familie Somoza (seit 1934/37) gestürzt. Die linksgerichteten Sandinisten regieren das Land nachfolgend bis 1990.
Der NATO-Rat beschließt in Abwehr der sowjetischen Bedrohung, atomare Mittelstreckenraketen in Europa zu stationieren (*Nachrüstungsbeschluß*).
Um den Widerstand gegen die im Jahr zuvor installierte kommunistische Herrschaft zu brechen, dringen sowjetische Truppen nach Afghanistan ein. Gegen die Invasion richten sich scharfe Proteste der westlichen Länder, die u. a. auch die Olympischen Spiele 1980 in Moskau boykottieren.
In Sri Lanka flammt der lange schwelende Konflikt zwischen den Tamilen und dem Staatsvolk der Singhalesen offen auf; er ist bis heute nicht beigelegt.

1980 In Jugoslawien stirbt Staatschef Tito. An seine Stelle tritt eine kollektive Staatsführung. Die (auch ökonomisch motivierten) Antagonismen zwischen den Teilrepubliken treten nachfolgend immer stärker hervor.
Die Neuen Hebriden werden aus dem britisch-französischen Kondominat entlassen und als *Vanuatu* unabhängige Republik.
Saddam Hussein, Diktator des Irak (seit 1979), eröffnet einen Angriffskrieg gegen den Iran um den Besitz der Ölfelder am Schatt-el-Arab. Nach exorbitanten Verlusten auf beiden Seiten wird der Krieg erst 1988 auf der Basis des status quo ante beendet.

Nach langandauernder politischer Instabilität übernimmt in der Türkei erneut das Militär die Macht.
In Danzig wird die unabhängige *Gewerkschaft Solidarität* gegründet. Wegen der anschließenden Demonstrationen und Streiks stürzt der polnische Parteichef (seit 1970) Gierek.

1981 Griechenland wird zehntes Mitglied der Europäischen Gemeinschaft.
In den USA wird Ronald Reagan Präsident (bis 1989). Unter seiner Regierung explodieren Staatsausgaben (vor allem für Zwecke des Militärs) und öffentliche Verschuldung des mächtigsten Landes der Erde, das zudem beständig eine negative Handelsbilanz aufweist.
In Spanien scheitert ein Putsch der *Guardia Civil* an der konsequenten Haltung des Königs.
In Frankreich wird der Sozialist François Mitterrand zum neuen Staatspräsidenten gewählt. Nach einem Sieg auch in der folgenden Kammerwahl beruft er erstmals in der V. Republik eine Regierung unter Beteiligung der Kommunisten.
Großbritannien entläßt Antigua und Barbuda sowie Belize in die Unabhängigkeit.
In Polen wird das Kriegsrecht verhängt, um eine sowjetische Intervention wegen der Streiks und Unruhen zu verhindern.

1982 Israelische Truppen dringen in den Libanon vor. Bis auf eine Sicherheitszone im Süden wird das eroberte Gebiet 1985 wieder geräumt.
In der Bundesrepublik Deutschland scheitert die *sozialliberale Koalition* bei der Überwindung der in der Hauptsache durch den *zweiten Ölpreisschock* ausgelösten Wirtschafts- und Finanzkrise. Der sozialdemokratische Bundeskanzler Schmidt wird durch ein konstruktives Mißtrauensvotum gestürzt und durch den Christdemokraten Helmut Kohl ersetzt.
In den Niederlanden wird eine Mitte-Rechts-Regierung gebildet.
Der sowjetische Staats- und Parteichef Leonid Breschnew stirbt; in seinen Ämtern folgt ihm der ehemalige Geheimdienstchef Juri Andropow († 1984). Die Notwendigkeit von Reformen wird von ihm zwar erkannt; sie gelangen jedoch nicht zur Ausführung.
In Spanien wird der Sozialist Felipe González nach einem Wahlsieg neuer Ministerpräsident. Er führt u.a. auch eine umfassende Regionalisierung des zuvor streng zentralistisch regierten Landes durch.

1983 In Österreich verlieren die Sozialisten ihre seit 1971 behauptete absolute Mehrheit. Bundeskanzler Kreisky tritt zurück.
In Polen wird das Kriegsrecht aufgehoben.
Erstmals tritt mit Bettino Craxi (bis 1987) ein Sozialist an die Spitze der italienischen Mitte-Links-Regierung. Die italienische Staatsverschuldung wächst in den folgenden Jahren in astronomische Höhen.
Großbritannien entläßt St. Kitts and Nevis in die Unabhängigkeit.

Die USA intervenieren auf Grenada, weil sie die Entwicklung eines zweiten Kuba fürchten.
In Argentinien stürzt die Militärdiktatur (1966–1973 und seit 1976) nach der im Jahr zuvor erlittenen Niederlage im Krieg mit Großbritannien um den Besitz der Falkland-Inseln (spanisch: *Malvinas*); das Land kehrt zur demokratischen Ordnung zurück.

1984 In Asien endet das britische Protektorat über das Sultanat Brunei.
In Frankreich scheiden die Kommunisten aus der Regierung aus.
Nach dem Sturm indischer Truppen auf den Goldenen Tempel der Sikhs in Amritsar wird die indische Premierministerin (1966–1977 und seit 1980) Indira Gandhi – die Tochter Nehrus – ermordet. Nachfolger wird bis 1989 ihr Sohn Rajiv Gandhi (ermordet 1991).
Das britische Unterhaus billigt ein Abkommen mit der Volksrepublik China, das die Rückgabe Hongkongs für Mitte 1997 vorsieht.

1985 In Uruguay wird nach langen Jahren der Diktatur (seit 1969/70) die Demokratie wiederhergestellt.
In der Sowjetunion wird Michail Gorbatschow neuer Chef der Kommunistischen Partei; seit 1988 bekleidet er auch das Amt des Staatsoberhaupts.
In Brasilien endet die seit 1964 bestehende Diktatur des Militärs; 1988 erhält das Land eine neue demokratische Verfassung.
In Portugal gelangen die Rechtsliberalen bis 1995 zur Regierung. In dieser Zeit findet das Land auch wirtschaftlich Anschluß an Europa.
In Großbritannien bricht Premierministerin Thatcher die Macht der Gewerkschaften.

1986 Spanien und Portugal werden elftes und zwölftes Mitglied der Europäischen Gemeinschaft.
Die *Einheitliche Europäische Akte* wird von den Mitgliedsstaaten der EU unterzeichnet. Sie tritt 1987 in Kraft.
Auf den Philippinen muß der seit 1965 diktatorisch regierende Präsident Ferdinand Marcos nach vorzeitigen Neuwahlen die Macht an seine Opponentin Corazón Aquino (Präsidentin bis 1992) abgeben.
In Haiti wird die seit 1957 regierende „Dynastie" der Familie Duvalier gestürzt. Demokratische Wahlen finden jedoch erst 1990 statt.
Bei Parlamentswahlen in Frankreich erringt die bürgerliche Opposition die Mehrheit. Präsident Mitterrand ernennt den *Gaullisten* Jacques Chirac zum neuen Premierminister. Präsident und Regierungschefs gehören damit erstmals in der V. Republik unterschiedlichen Lagern an. Das neue System wird *cohabitation* genannt.
Im ukrainischen Reaktor Tschernobyl kommt es zur größten Katastrophe in der zivilen Nutzung der Kernkraft. Sie fordert viele Opfer und zeitigt langfristige Wirkungen in großen Teilen Europas.

In der Sowjetunion leitet Parteichef Gorbatschow unter den Schlagworten *Glasnost* (= Transparenz) und *Perestrojka* (= Umgestaltung) ein Reformprogramm ein, das vor allem die Effizienz der Wirtschaft steigern soll. Es scheitert jedoch wegen der jahrzehntelangen Überforderung der Volkswirtschaft durch Wettrüsten und Großmachtanspruch.

1987 In den israelisch besetzten Palästinenser-Gebieten beginnt die *Intifada* – ein vornehmlich von Jugendlichen getragener Aufstand gegen die israelische Besatzungsmacht.
Der DDR-Staatsratsvorsitzende Honecker besucht die Bundesrepublik und wird dort mit allen protokollarischen Ehren empfangen.

1988 Mit dem Amtsantritt von Präsident Lee Teng Hui beginnt in der ökonomisch höchst erfolgreichen *Republik China* (Taiwan) ein Demokratisierungsprozeß. Zudem wächst hier die Neigung, alle theoretisch noch bestehenden Bande mit China zu lösen. Dadurch entstehen Spannungen mit der Volksrepublik, die bis heute andauern.
In Südkorea treten die Militärs nach langer diktatorischer Regierung ab. Erstmals wird ein Präsident wieder durch Volkswahl bestimmt.
In Thailand werden nach langer, jeweils nur kurzfristig unterbrochener Herrschaft durch Generäle demokratische Verhältnisse wiederhergestellt. Eine neuerliche Machtübernahme durch die Militärs verhindert 1992 König (seit 1946) Rama IX. (Bhumiphol).
Belgien wird in einen Bundesstaat umgewandelt; die drei Regionen erhalten weitgehende Kompetenzen.

1989 Mit dem Sturz des seit 1954 regierenden Diktators Alfredo Stroessner kehrt Paraguay zur demokratischen Regierungsform zurück.
Die chinesische Demokratiebewegung wird auf dem *Platz des himmlischen Friedens* (*Tian'anmen*) in Beijing niedergewalzt.
Die sowjetischen Truppen verlassen Afghanistan nach verlustreichen und letztlich erfolglosen Kämpfen. Das Land kommt aber auch danach nicht zur Ruhe und versinkt in Anarchie; es wird seit 1996 größtenteils von radikal-islamischen Kräften beherrscht.
In Polen, Ungarn und der Tchechoslowakei vollzieht sich ein friedlicher Übergang vom kommunistischen Herrschaftssystem zu demokratischen Verhältnissen.
Nach dem Sturz von Staats- und Parteichef Honecker öffnet die DDR die Grenzen zum Übertritt auch für die eigenen Bürger. Deutschland wird von einer nationalen Euphorie erfaßt.
Nach dem Scheitern einer inszenierten Massenkundgebung werden der rumänische Diktator Ceausescu und seine Ehefrau erschossen. Neuer Staatspräsident wird aber wiederum ein Altkommunist.

1990 Chile kehrt mit der Wahl von Präsident (bis 1994) Patricio Aylwin zur Demokratie zurück.

Südwestafrika wird als *Namibia* unabhängig. Die UNO hatte Südafrika das Mandat zur Verwaltung des Landes bereits 1966 entzogen, die Selbständigkeit jedoch nicht durchsetzen können.
Jemen und die Volksrepublik (Süd-)Jemen vereinigen sich zur Republik Jemen.
Boris Jelzin wird zum Regierungschef der russischen Teilrepublik gewählt. Seit der Unabhängigkeit Rußlands 1991 ist er dessen Präsident.
Irakische Truppen besetzen Kuweit; das erdölreiche Land wird als 19. Provinz dem Irak einverleibt. Resolutionen der UNO, die Souveränität Kuweits zu respektieren und die Truppen abzuziehen, werden vom irakischen Diktator Saddam Hussein nicht befolgt.
Auf die vor allem von Bundeskanzler Kohl betriebene Vereinigung der DDR mit der Bundesrepublik Deutschland in einer Wirtschafts- und Währungsunion folgt die staatliche Vereinigung beider deutscher Staaten, die möglich wird, weil die geschwächte Sowjetunion nicht mehr auf einer Neutralisierung Gesamtdeutschlands besteht, so daß dieses – wie von den USA, Großbritannien und Frankreich gefordert – Mitglied in der westlichen Verteidigungsallianz bleiben kann.
In Nepal kehrt man nach langen Jahren einer Königsdiktatur zum konstitutionellen System mit parlamentarisch verantwortlicher Regierung zurück.
Das UN-Mandat (seit 1947) der USA über die Marshall-Inseln und Mikronesien wird aufgehoben. Beide pazifischen Inselstaaten werden damit unabhängig.
In der Mongolei werden erstmals freie Wahlen abgehalten.
In Singapur, das sich unter ihm zum wohlhabendsten Staat Südostasiens entwickelt hat, scheidet der langjährige (seit 1959) Premierminister Lee Kuan Yew aus dem Amt.

1991 Die UNO interveniert in Kuweit. Unter maßgeblicher Beteiligung amerikanischer und britischer Verbände werden die irakischen Streitkräfte besiegt. Die Souveränität Kuweits wird wiederhergestellt, der Irak mit Sanktionen belegt, die bis heute andauern.
In Äthiopien wird das sozialistische System gestürzt.
In der Sowjetunion scheitert ein Putsch gegen Staats- und Parteichef Gorbatschow, dessen Ansehen freilich Schaden nimmt.
Der Staatsrat der UdSSR spricht offiziell die Anerkennung der Unabhängigkeit von Estland, Lettland und Litauen aus.
Slowenien erlangt seine Unabhängigkeit von Jugoslawien ohne heftigere Kampfhandlungen.
Nach dem Abzug der vietnamesischen Truppen kehrt Prinz Sihanouk aus dem chinesischen Exil nach Kambodscha zurück. 1993 nimmt er wieder – wie schon 1955–1960 – den Königstitel an.
Die Sowjetunion wird aufgelöst, das riesige russische Imperium zerfällt. Die bisherigen Unionsrepubliken Rußland, Ukraine, Kasachstan, Usbekistan,

Weißrußland, Georgien, Armenien, Aserbeidschan, Moldawien, Turkmenistan, Kirgistan und Tadschikistan erlangen die volle Souveränität.

1992 In Nordamerika wird die Freihandelszone *NAFTA*, bestehend aus Kanada, den USA und Mexiko, begründet.
Die EG-Staaten erkennen die Unabhängigkeit von Kroatien und Bosnien-Herzegowina und damit deren bereits 1991 verkündeten Austritt aus dem jugoslawischen Staatsverband an. Ein Ende der Bürgerkriege und der militärischen Auseinandersetzung mit den Serben kann dadurch jedoch nicht erreicht werden.
In Maastricht unterzeichnen die zwölf Mitgliedstaaten der EG den Vertrag über die *Politische Union* und die *Wirtschafts- und Währungsunion.*
Auch in Albanien als letztem Land Europas wird das kommunistische Regime gestürzt.
Die *Föderative Republik Jugoslawien,* die nur noch aus den Republiken Serbien und Montenegro besteht, wird neu begründet.
US-Marineeinheiten landen im Rahmen einer UNO-Mission, an der erstmals auch Deutschland beteiligt ist, fernsehwirksam an der Küste Somalias, um die Zivilbevölkerung des in Bürgerkrieg und Anarchie versinkenden Landes zu schützen. Der Mission bleibt ein Erfolg letztlich versagt.

1993 In der EU tritt der Binnenmarkt in Kraft.
Die Tschechoslowakei wird einvernehmlich aufgelöst. Tschechien und die Slowakei werden als Nachfolgestaaten souverän.
In den USA wird der Demokrat Bill Clinton in der Nachfolge von George Bush (seit 1989) als Präsident vereidigt.
In Italien gerät das politische System und die politische Klasse infolge der exorbitanten Staatsverschuldung in eine tiefe Krise.
Neuer Regierungschef wird der parteilose Notenbankpräsident Carlo Azeglio Ciampi (bis 1994; seit 1999 Staatspräsident).
In Japan verlieren die seit dem II. Weltkrieg regierenden *Liberaldemokraten* erstmals die absolute Mehrheit.
Im *Friedensabkommen von Oslo* erhalten die Palästinenser von Israel erstmals Selbstverwaltungsbefugnisse in einigen abgegrenzten Gebieten (Gaza und Jericho). Das Selbstverwaltungsgebiet wird bis 1996 nach genau festgelegtem Plan fortlaufend vergrößert.
Das muslimisch geprägte Eritrea trennt sich vom christlichen Äthiopien, mit dem es zuletzt seit 1952 verbunden war.

1994 In Rwanda werden Tutsi und gemäßigte Hutu Opfer eines systematischen Genozids.
Der Eisenbahntunnel unter dem Ärmelkanal zwischen Frankreich und England wird feierlich eröffnet.
Mit dem Inkrafttreten einer neuen Verfassung und der Wahl von Nelson Mandela zum Präsidenten endet das *Apartheid-Regime* in Südafrika. Die

schwarze Bevölkerungsmehrheit erlangt das volle Wahlrecht und damit politische Gleichberechtigung.
Die letzten russischen Soldaten verlassen Deutschland.
Israel und Jordanien schließen einen förmlichen Friedensvertrag.
Die USA intervenieren auf Haiti, um den 1991 von einer Junta vertriebenen verfassungsmäßigen Präsidenten Jean Bertrand Aristide ins Amt zurückzuführen (bis 1996).
In Nordkorea stirbt Staatschef (de facto seit 1948) Kim Il Sung, Gegenstand eines zuletzt grotesken Personenkults. Er hinterläßt ein völlig bankrottes Land.
Palau wird aus der US-Mandatsherrschaft in die Unabhängigkeit entlassen.

1995 Schweden, Finnland und Österreich treten der EU bei, die damit fünfzehn Mitglieder zählt.
In Frankreich setzt sich der Gaullist Jacques Chirac bei den Präsidentschaftswahlen in der Nachfolge von François Mitterrand durch.
Kroatische Streitkräfte erobern die serbisch besiedelte Krajina; das Gebiet wird nach Kroatien zurückgegliedert.
Auf amerikanischen Druck wird ein Friedensabkommen für Bosnien-Herzegowina geschlossen. Das Land bleibt als Völkerrechtssubjekt erhalten, wird aber in drei Gebietseinheiten aufgeteilt. Eine internationale Friedenstruppe unter NATO-Oberbefehl sichert die Durchführung.
Die USA geben die Einstellung aller (zuletzt nur noch unterirdischen) Kernwaffenversuche bekannt.
Der israelische Ministerpräsident (1974–1977 und seit 1992) Yizak Rabin, Vorkämpfer für den Frieden mit den Palästinensern („Land für Frieden") wird von einem jüdischen Fanatiker ermordet.

1996 In Italien siegt bei den Parlamentswahlen ein Mitte-Links-Bündnis unter Romano Prodi, der als Regierungschef 1998 von dem früheren Kommunisten Massimo d'Alema abgelöst wird.
In Spanien wird die sozialistische Regierung González durch ein bürgerliches Kabinett unter José María Aznár abgelöst.
Mit der Wahl des rechtsgerichteten Politikers Benjamin Netanjahu zum israelischen Ministerpräsidenten gerät der Nahost-Friedensprozeß ins Stocken.
Kroatien und Jugoslawien erkennen sich gegenseitig an.
In Rumänien wird der altkommunistische Staatspräsident abgewählt. Ein konservativ-liberales Bündnis bildet die neue Regierung.

1997 In Großbritannien gelangt die Labour Party unter Tony Blair nach langer konservativer Regierung (zuletzt unter John Major) wieder an die Macht. Auch in Frankreich siegt die Linke. Lionel Jospin wird neuer Premierminister in einer *cohabitation* unter umgekehrten Vorzeichen.

In Zaire wird Diktator Mobuto nach zweiunddreißigjähriger Herrschaft gestürzt. Das Land (nunmehr wieder unter dem Namen *Kongo*) findet aber auch danach keinen Weg aus der Krise.
Mit der Übergabe Hongkongs an China verliert Großbritannien seine letzte wichtige Kolonie; das *British Empire* gehört endgültig der Vergangenheit an.
Schwere Unruhen, die das Regime des konservativen Präsidenten hinwegfegen, führen in Albanien zu einer internationalen Intervention.
Mit der Wahl von Zayed Mohammed Chatami zum neuen Staatspräsidenten des Iran deutet sich der Wunsch nach Öffnung des Landes gegenüber westlichen Einflüssen an.

1998 In Südkorea wird mitten in einer schweren Wirtschaftskrise, die das aufstrebende Land beträchtlich zurückwirft, der ehemalige Anführer der Opposition Kim Dae Jung zum Staatspräsidenten gewählt.
Gegen den Willen Frankreichs beruft der Europäische Rat den Niederländer Wim Duisenberg zum ersten Präsidenten der *Europäischen Zentralbank*.
In Indonesien wird das diktatorische Regime von General Suharto (seit 1967) gestürzt.
In Rußland spitzt sich die Wirtschafts- und Finanzkrise dramatisch zu. Das Land ist praktisch zahlungsunfähig.
In Deutschland wird die bürgerliche Regierungskoalition unter Bundeskanzler Kohl abgewählt und durch ein *rot-grünes Bündnis* unter dem Sozialdemokraten Gerhard Schröder ersetzt.
In den USA kann erstmals seit 1969 ein Haushaltsüberschuß erzielt werden.

1999 In den Mitgliedsstaaten der EU (mit Ausnahme Großbritanniens, Dänemarks, Schwedens und Griechenlands) wird der *EURO* als neue Währung eingeführt – vorläufig freilich nur als Zähleinheit parallel zu den einzelstaatlichen Währungen.
König (seit 1952) Hussein von Jordanien, ein wichtiger Motor im Nahost-Friedensprozeß, stirbt.
Bill Clinton übersteht als zweiter US-Präsident nach Andrew Johnson (1861–1865) ein gegen ihn angestrengtes *Impeachment-Verfahren*.
Polen, Tschechien und Ungarn werden als Vollmitglieder in die NATO aufgenommen.
Ohne Mandat der UNO zwingt die NATO unter maßgeblicher Führung der USA Serbien (bzw. Jugoslawien) durch wochenlange Bombenangriffe zum Abzug seiner Truppen aus dem vorwiegend von Albanern besiedelten Kosowo, wo die Serben unter Berufung auf alte historische Rechte zuletzt eine Politik der ethnischen Säuberung betrieben hatten. Mit UN-Mandat wird hier danach eine internationale Friedenstruppe stationiert.
Der Sozialist Ehud Barak wird zum neuen israelischen Ministerpräsidenten

gewählt. Er kündigt an, den Friedensprozeß im Sinne von Y. Rabin fortzusetzen.

Der frühere italienische Ministerpräsident Romano Prodi wird nach dem Rücktritt der in Skandale verwickelten EU-Kommission zum neuen Kommissionspräsidenten gewählt.

König (seit 1961) Hassan II. von Marokko stirbt.

Die russische Weltraumstation MIR wird nach dreizehnjährigem Dienst aufgegeben.

In Ost-Timor votiert die Bevölkerung in einem Referendum unter Aufsicht der Vereinten Nationen mit großer Mehrheit für die Unabhängigkeit des Landes.